KB024244

예쁘게 말하는 네가 좋다

김범준 지음

마음을 움직이는 대화의 온도

예쁘게 말하는 네가 좋다

포레스트북스

머리말

말을 참 예쁘게 하는 고마운 사람

말을 예쁘게 하는 사람이 많아졌으면 좋겠습니다. 심신을 지치게 하는 누군가의 거칠고 냉정한 말은 정말이지 그만 듣고 싶습니다. 사실 이상합니다. 언제 끝날지 아무도 알지 못했던 코로나19의 지루한 나날들 속에서 우리는 누군가와 대화를 나누며 관계 맺기를 원했습니다. 하지만 다시 얼굴을 마주하고 대화를 나누자마자 오히려 코로나19 절정의 시간을 그리워합니다. 사람이 분명히 그리웠는데, 다시 마주하려니 관계 맺기는 어렵고, 마음의 거리는 좁혀지지 않습니다. 모두 말 때문입니다.

다시 시작하는 시간, 우리의 말들이 예쁜 말이어야 할 이유입니다. 그래야 다시 다가서고, 관계를 맺으면서 함께할 수 있기 때문입니다. 누군가와 함께할 때 '불편하다', '두렵다', '솔직히 혼자가 편하다'라고 생각하는 게 아니라 '편하다', '즐겁다', '함께해서 좋다'라고 느끼고자 하는 것이 우리가 말을 통해서 이루고자 하는 바람직한 모습일 텐데 그 해답은 예쁜 말입니다. 논리적인 말? 냉철한 말? 분석적인 말? 모두 좋은 말입니다. 하지만 지금 우리에게 필요한, 최고로 좋은 말은 예쁜 말입니다.

골프를 처음 배우던 시절, 골프채를 휘둘렀지만 빗맞아 엉뚱한 곳으로 공이 날아갔을 때 저를 향해 격려하던 한 선배의 말이 그러했습니다. "와, 김 대리, 방향만 잡으면 될 것 같은데? 스윙 자세는 박세리 선수 같아!" 어쩌면 그리도 예쁘게 말을 하는지, 그 선배가 갑자기 훈남처럼 보이더군요. 고마운 건 물론이고, 점잖아도 보이고. 그뿐인가요. 가정교육도 잘 받은 듯 느껴졌던 겁니다.

예쁜 말이라고 하니 어감이 왠지 아이들이 부모를 향해서 하는 말이 먼저 생각날지도 모르겠습니다. 사실 아이들의 말은 예쁩니다. 하는 모양 자체로도 예쁘지만 그 내용을 들여다봐도 그 예쁨은 어디로 가지 않습니다. 아이들은 본능적으로 부모에게 잘 보이고 싶어서 예쁜 말을 할 줄 아는 능력이 있는 건 아닐까 하는 생각이 들 정도입니다. 수많은 엄마와 아빠가 자녀의 예쁜 말 한마디에 세상 시름을 잊고, '그래, 이 맛에 내가 살아가는 거야!'라는 용기를 얻기도 하는 이유이기도 합니다.

동생이 생긴 걸 알게 된 세 살 딸아이가 엄마 배를 어루만지며 "동생아, 엄마 아프게 하지 말고 얼른 나와서 나하고 같이 놀자"라고 말합니다. 어린이집에 다니는 아들이 밤에 아빠와 나란히 누워 있다가 "어린이집에서 아빠가 얼마나 보고 싶었는지 몰라"라고 말합니다. 친구가 명품 시계를 자랑해서 기분 나빴다고 말하는 아빠를 보며 아들은 "아빠는 아빠 자체가 명품이에요. 그리고 나중에 제가 명품 지겹도록 사드릴게요"라며 너스레를 떱니다. 초등학교 3학년 딸은 "엄마 딸로 태어나서 행복해!"라고 하고, 초등학교 5학년 아들은 아빠와 공놀이를 하며 "아빠가 내 아빠라서 너무 좋아"라고 합니다. 듣기만 해도 정말 기분 좋아지는 말들입니다.

중학생, 고등학생 자녀 중에도 예쁜 말을 잘하는 경우가 많습니다. "아빠? 여전히 멋있지!", "엄마? 아직도 배우 같아!" 설령 용돈을 받기 위한 전략적 말하기라고 할지라도 그 말 자체의 예쁨은 인정할 수밖에 없습니다. 사실 위의 말들, 이렇게 읽기만 해도 기분이 좋아지지 않나요. 우리 아이들이 예쁜 이유는 '내가 낳아서'가 아니라, '얼굴이 예뻐서'가 아니라, '성적이 좋아서'가 아니라, 예쁜 말을 아무런 대가도 없이 엄마와 아빠에게 해주기 때문이 아닐까 합니다. 이런 걸 보면 부모와 자녀 간에 먼저 위로를 주고, 감동을 주며, 행복을 주는 건 부모에게서 자녀로 흐르는 게 아니라 자녀에게서 부모에게로 흐르는 건 아닐까 하는 생각도 들게 합니다.

살갑고 따뜻하며, 정직하고 아름다웠던 우리의 아이들이 안타깝게도 경쟁을 거치고 사회에 나가면서 예쁜 말과 멀어집니다. 나쁜 말, 이상한 말을 배우고, 그것을 입에 담으며, 자기 스스로 감정을 황폐하게 만들곤 하지요. 그 결과물이 어쩌면 지금 우리의 모습일 수도 있겠고요. 하지만 이럴 때일수록 예쁜 말을 다시 한번 고민하면서 좋은 말, 괜찮은 말을 할 줄 아는 어른이 되어 보려고 노력하는 건 어떨까요? 누군가에게 다가서고, 마주하며, 또 새로운 관계를 맺기 이전에 우리가 하는 말들이 어떤 말인지, 과연 예쁜 말을 적절하게 사용하고 있는지 확인해봤으면 좋겠습니다.

예쁜 말을 이미 잘 표현할 줄 아는 어른도 물론 적지 않습니다. 한 고등학교 선생님은 학생이 말도 없이 결석했을 때 그 이유를 묻기 위해 연락할 때 "왜 학교에 안 왔어?"라고 하지 않는다고 하더군요. 대신 "왜 학교에 못 왔어?"라고 한다는 겁니다. '안' 그리고 '못', 단 한 글자 차이지만 듣는 학생에게는 느낌이 전혀 다를 겁니다. '안 왔어?'라고 하면 '너 오기 싫었지?'라는 뜻을 품지만 '못 왔어?'라고 하면 '무슨 일이 생긴 거니? 도와줄 건 없니?'라는 의미가 되기 때문입니다. 상대방의 경계를 풀고 거리를 가깝게 해주는 예쁜 말의 좋은 사례입니다.

예쁜 말은 그 말을 듣는 상대방을 긍정적으로 변화하게 해줍니다. 큰 힘을 주기도 하고요. 서로에게 다가서고, 마주하며 결국 관계를 이어 나가야 하는 것이 우리 사람의 모습, 그리고 사회를 이루는 근본적인 모습일 텐데 예쁜 말은 바로 이 모든 것들의 시작이 됩니다.

누군가가 그러더군요. 만남의 시작과 끝에 '고맙습니다', '미안합니다' 이 두 마디만 할 줄 알아도 너무나 예쁜 사람으로 기억된다고요. 직장인이라면 회의 시작 전에 자기 자리 앞에 놓인 자료를 보면서 '이 자료, 감사하게 보겠습니다', 회의 종료 후에 '회의실 정리하고 가셔야 할 텐데 도와드리지 못해서 미안합니다'라고 말하는 사람이 우리의 상대방이라면 가까워지고 싶은 마음이 클 수밖에 없을 겁니다.

그동안 우리는 '혼자'를 추구했습니다. 좋은 점도 있었습니다만 혼자 겪어내야 할 외로움과 고독밖엔 없었던 기억은 우울을 넘어선 공포 그 자체였음도 인정하지 않을 수 없습니다. 이제 다시 서로에게 다가서야 할 시간이 왔습니다. 물론 다가서는 법을 모르는, 알려 하지 않는 사람들의 예의 없는 접근은 여전히 두렵습니다. 하지만 내가 더 잘 살아가기 위해서라면 지나치게 회피하는 태도로는 어렵지 않을까 합니다. 누군가의 못생긴 말에 상처받지 말되, 우리가 해야 할 예쁜 말은 세상을 향해 아낌없이 표현하기를 바랍니다. 물론 노력이 필요합니다. 잘 알지 못하고 다가서다가 오히려 문제가 생길 수도 있으니까요.

상대방에게 어떻게 말해야 할지 잘 알지도 못하면서 섣불리 상대방의 일상에 급격한 변화를 주려고 하기보다는 상대방이 좋아하는 것이 무엇인지, 싫어하는 게 무엇인지 파악한 후에 최대한 예쁜 말을 찾아내어 표현하는 게 훨씬 중요합니다. 나와 타인의 거리를 관찰하고 그 거리에 맞는 적절한 말 한마디를 잘 해낼 수 있으면 됩니다. 직장인인 누군가는 자신의 실수에 대해 직속 상사가 "괜찮아요. 우리 시스템에서 해결할 수 있는 것이라면… 그러니 너무 걱정하지 마세요"라고 위로한 걸 두고 크게 감동했다고 하더군요. 어렵다고 생각하면 어렵겠지만 또 이 정도라면 우리도 충분히 상대방을 향해 말해줄 수 있는 예쁜 말이 아닐까요.

세대, 성별을 불문하고 서로를 더 깊게 이해하려는 대화와 소통이 절실해지는 시기입니다. 사회적 거리두기의 해제, 아니 해방의 시공간 속에서 우리는 이제 어떻게 사람에게 다가가고, 어떻게 서로를 마주할 것인가를 일상의 화두로 삼아야 합니다. 이 마음의 질문을 잘 살핀 뒤에, 상대방에게 전해질 우리의 예쁜 말을 공부하고, 또 좋은 점은 적극적으로 활용해야 할 것입니다. 그렇게 마음의 거리를 좁히는 소통법을, 더 나아가 앞으로의 인생에서 행복한 관계를 맺는 방법을 이 책에서 함께 찾아냈으면 합니다.

잘 되겠죠? 잘 될 겁니다.

이 책을 읽는 당신이 예쁜 말에 익숙해지기를 바라며

김범준

차례

2장

마주하기

마음의 거리를 적절하게 유지하기 위한 말 연습

3장

이어가기

관계의 확장을 이끌어내는 말 연습

프롤로그

다가설 줄 아는 사람은 예쁘게 말한다

다시 얼굴을 마주하는 시간이 되었습니다. 코로나19의 재확산이 우려되기는 하지만 다시 누군가에게 다가서서 대화를 나누는 장면은 이제 당연한 것이 되어 가고 있습니다. 같이 모이고, 함께 대화하고…. 그런데 뭔가 좀 이상합니다. 한국의 대표기업 중 하나인 네이버는 4830억 원을 들여 신사옥인 '1784'를 지었음에도, 코로나19에 따른 사회적 거리두기가 해제되었음에도, 코로나19 때의 재택근무를 여전히 도입하겠다고 발표한 겁니다.

네이버는 주5일 출근제도를 사실상 없애는 근무 방식의 실험에 나섰답니다. 2022년 7월부터 네이버는 근무 시간은 물론 업무 장소까지 자유롭게 선택하는 '커넥티드 워크' 제도를 도입했습니다. 이 제도에는 여러 타입이 있는데, 특히 '타입 R'로 지칭되는 유형이 특이합니다. 주5일 집이나 외부 장소에서 일할 수 있고, 필요할 때 사무실로 출근하는 방식이죠. 고정 좌석도 물론 사무실에 없고요. '와, 이게 가능해?'라면서 부러워하는 분들이 많을 듯합니다.

알고 보니 이는 조직 내 구성원의 의견이 절대적으로 반영된 근무 형태라고 합니다. 네이버가 본사 직원을 대상으로 코로나19 이후의 근무 방식 선호도를 조사한 한 결과, 주5일 사무실 출근을 가장 선호한 직원은 2.1퍼센트에 불과했다고 하네요. 주5일 재택근무 선호 답변은? 무려 41.7퍼센트였답니다.

최수연 네이버 대표의 말입니다. "네이버는 언제, 어디서 일하는지를 따지기보다 '일 본연의 가치'에 집중해 신뢰를 바탕으로 성과를 만들어왔습니다. 네이버만의 문화를 바탕으로 새로운 근무제를 도입하게 됐고, 앞으로도 일의 본질에 집중해 직원들이 좋은 환경에서 업무에 몰입할 수 있는 다양한 방안을 모색해나가겠습니다."

물론 비대면 근무를 네이버도 영구적 근무제도로 확정한 건 아닙니다. 하지만 적절한 거리두기, 재택근무에 익숙한 구성원을 위한 섣부른 다가섬의 자제 등 다양한 고민을 통해 네이버는 회사가 구성원들에게 어떻게 다가서고, 어떻게 마주할 것인지, 이를 통해서 어떻게 구성원들의 관계를 이어갈 것인지, 그리고 결국에는 고객들에게 어떻게 최선의 서비스와 상품을 제공할 것인지를 고민하며 내린 잠정적 결론이라고 생각합니다.

네이버와 같은 조직도 이제 자기 구성원을 향해 함부로 다가서지 않습니다. 다가섬이란 그토록 조심스러운 것임을, 길고 길었던, 수많은 희생을 치렀던 코로나19를 통해 역설적으로 알아차렸기 때문일 겁니다.

네이버의 새로운 근무 제도에는 흥미로운 점이 있습니다. 바로 주5일 전면 재택의 과정에서 월 1회 '대면 팀워크 데이'를 권장한다는 사실입니다. 다시 만나게 되는 구성원 간의 정서적 교류를 위해 대면 만남의 중요성을 간과하지 않겠다는 의지로 보입니다. 그렇다면 대면과 비대면의 조화, 이를 통해 네이버가 조직 구성원에게 알리고자 하는 바는 무엇일까요.

'예쁜 말'의 사용이 아닐까 합니다. 나쁜 말, 이상한 말, 못생긴 말을 하던 코로나19 이전의 시대에서 벗어나, 새로운 세상에서는 상대를 향한 조건 없는 존중, 따뜻한 배려, 아름다운 공감이 가득한 예쁜 말을 해야만 구성원도 그리고 회사도 최고 기업으로서 그 가치를 더해갈 것임을 떨어져 있던 긴 시간을 통해 알아차린 것입니다. 다시 만나 어색할지 모르는 상황을 대비해 조직과 구성원 간의 적절한 거리, 구성원과 구성원 간의 적절한 거리를 고민한 결과입니다. 잠시 시간과 공간을 두며 내면의 흔들림을 바로 잡고 마음의 평화를 유지한 채 서로 편한 마음으로 점차 다가서는 말을 하도록 노력하는 모습이 참 인상적입니다.

'편한 것' 그 자체만 생각하면 대부분의 사람들은 혼자가 편합니다. 하지만 혼자가 편한 것과 주변에 사람이 없는 것은 다릅니다. 코로나19는 우리의 관계를 바꿔놓았습니다. 가까웠던 옆 사람과의 거리를 강제로 멀어지게 한 것이죠. 덕분에 마음 편해진 사람들도 있었을 겁니다. 그러나 사람은 혼자서는 살 수 없는 존재입니다. 저는 여러분께 묻고 싶습니다. 준비되셨나요? 어떻게 다가서려고 하시는지요? 어떤 마음으로 사람을 마주하시는지요?

저는 누군가에게 다가서는 관계 회복의 첫걸음을 '예쁜 말' 한 마디에서 찾기를 바랍니다. 대화로 다시 마주하는 사람과의 만남을 편하게 만드는 다양한 방법들을 살펴보고, 또 그것을 실행에 옮겼으면 합니다. 혹시 과거의 대화법으로 변한 세상을 살아가려는 것은 아니겠죠? 오랜 기간 떨어져 일하는 게 익숙해져 있는 누군가를 향해 이전의 못생긴 말, 이상한 말, 나쁜 말로 상대방에게 다가서려 한다면 수용은커녕 차가운 거절의 결과만 맛보게 될 것입니다.

이런 사례를 상상해봅니다. 다시 복귀한 직장 사무실에서, 다시 얼굴을 마주한 상대방과 당신 사이에 이런 대화가 오간다면 과연 서로에게 다가설 수 있을까요?

상대 : 제가 원하는 리포트가 아닙니다. 고민한 거 맞습니까?

당신 : 네? 저는 최선을 다했습니다. 도대체 뭘 더 해야 하죠?

가시가 돋친 말, 한마디로 못생기기 이를 데 없는 말이 난무하는 시간과 공간은 생각만 해도 끔찍합니다. 그동안 코로나19에 묶여 고슴도치처럼 자기만을 생각했던 사람들이 다시 대화에 나서게 되니 어쩌면 이전보다 충돌이 더 심해지지 않을까 하는 걱정도 큽니다. 상대방에게 다가설 줄 아는 사람들의 대화라면, 상대가 고의로 나를 괴롭히려고 하는 것이 아니라면, 당신은 이렇게 말할 수 있어야 합니다. 상대가 뭐라고 하더라도요.

상대 : 제가 원하는 리포트가 아닙니다. 고민한 거 맞습니까?

당신 : 말씀하신 게 맞습니다. 저도 아쉽습니다.

별거 아니죠? 하지만 별거 아닌 이 한마디가 상대방과의 관계를 결정짓습니다. 다시 시작하는 관계의 회복 시간에는 '쉼'을 찾고, '여유'를 찾는 게 중요합니다. 유쾌하지 않은 상대방의 말을 한번에 잘라서 반박하지 않는 당신은 세상 그 누구와도 가까워질 역량을 갖춘 사람입니다. 세상의 부정을 긍정으로 응답하는 당신, 그 자체로 아름답습니다.

언젠가 '보나 마나 뻔한 이야기'라는 한 커뮤니티의 글을 본 적이 있습니다. 말 한마디가 상대방과의 거리를 얼마나 멀어지게 하느냐 하는 다소 부정적인, 하지만 우스운 이야기였습니다.

'내 의도는'이라고 시작되는 말은
들어보면 의도가 좋지 않은 경우가 많다.

'너에게 해줄 말이 있어'라고 시작되는 말은
들어보면 기분 좋은 말이 아니다.

'결론적으로' 하며 끝나는 말은
들어보면 무엇에 대한 결론인지 항상 불분명하다.

'존경하는'으로 시작하는 말은
들어보면 사실은 존경하려는 생각 없이 하는 말이다.

'꼭 돈 때문에 하는 말은 아니야'라고 시작되는 말은
들어보면 돈 때문에 하는 말이다.

'이런 말 기분 나쁘게 생각하지 마'라고 시작되는 말은
들어보면 기분이 나쁘다.

'이번 한 번만 도와주면'이라고 꺼내는 말은
들어보면 이번 한 번만으로 끝나지 않는 것이다.

말이 이렇게 어렵습니다. 말 한마디를 통해 누군가에게 다가서기보다는 누군가와 멀어지는 일이 많아지기 쉬운 이유이기도 합니다. 해답은? '예쁜 말'입니다. 나를 지키기 위해서라도, 상대방과 아름다운 관계를 맺기 위해서라도, 그렇게 어제보다 더 나은 세상을 만듦에 있어 도움이 될 수 있도록 하기 위해서라도 말이죠. 어렵다면 어렵겠지만 작은 것들 하나부터 조심해서 말을 건넬 줄만 안다면 우리의 '예쁜 말 프로젝트'는 잘 되리라 믿어 의심치 않습니다.

1장

다가서기

마음의 거리를
좁히기 위한 말 연습

인생이란 관계로 이어져 있습니다. 관계는 누군가가 끊임없이 우리를 붙잡는 순간들로 구성되어 있고요. 관찰은 그런 순간을 진실하게 담아내려 노력하는 것이고, 그것이야말로 우리가 누군가에게로 다가서는 대화의 시작점이 됩니다.

멀어지는 말, 다가서는 말

일본의 한 30대 청년이 시작한 서비스가 있습니다. 그 이름이 재밌습니다. '아무것도 하지 않는 사람 대여 서비스'. 직장을 다녔으나 성과에 대한 압박과 인간관계의 어려움을 겪다가 결국 회사를 그만둔 1983년생의 한 남자가 퇴사 후 넘치는 시간을 어떻게 할까 고민했고, 결국 자신의 개인 시간을 타인에게 대여하는 서비스를 만든 겁니다. 이는 곧 폭발적인 인기를 끌게 됩니다.

놀이공원에서 롤러코스터 옆자리 앉기, 캐릭터 복장을 한 자신과 시내 중심가의 음식점에서 같이 카레 먹기, 이혼 서류를 제출할 때 아무 말 없이 동행하기…. 적당히 거리를 둔, 하지만 그 누구보다도 편하게 다가서는 이 서비스에 일면식도 없었던 사람들이 편안함과 만족감을 느끼게 됩니다. 사실 이 서비스를 신청한 사람들의 일들은 혼자서도 할 수 있는 일입니다. 하지만 이들은 아무것도 하지 않는 사람을 찾았습니다. 이 서비스는 '자유롭고 싶지만 외로운 건 싫은', '사람에게 상처받았지만 그 상처는 결국 사람으로부터 치유될 수밖에 없는' 인간의 마음을 정확히 이해한 서비스였던 것이죠.

2021년 방영된 TV 프로그램 「놀면 뭐하니?」에서 본 에피소드입니다. 당근마켓을 이용해 신청자들이 유재석과 함께 시간을 나누는 이야기였습니다. 특히 자전거를 타는 것을 배우고 싶어 했던 한 신청자에게 유재석이 자전거를 타는 법을 친근하게 가르쳐주고, 결국 자전거 타기에 성공한 신청자의 환희가 아직도 기억납니다. 거리두기가 한창인 코로나19 시대에도 불구하고 신청자들과 시간을 함께 보낸 유재석의 모습이 정말 인상적이었습니다. 이 역시 '아무것도 하지 않는 사람' 대여 서비스처럼 사람은 결국 누군가와 함께하는 시간 속에서 자신의 존재를 찾을 수 있다는 것을 보여주는 사례였습니다.

생각해보면 다가섬이란 참으로 조심스럽고 예민하게 설계되어야 할 관계의 시작점입니다. 선뜻 누군가의 영역에 진입하는 건 잘못하면 폭력적인 그 무엇이 될 수 있습니다. 아무리 선의를 갖고 말과 행동을 했더라도 말입니다. 그렇다면 상대방을 향해 다가섬은 어떻게 시작해야 하는 걸까요. 다음의 문장 중에서 상대방을 향한 우리의 마음 혹은 표현, 어느 것을 선택하고자 합니까?

"저는 당신을 얻고 싶습니다."
"저는 당신의 무엇을 얻고 싶습니다."

두 번째 문장이 대다수 우리의 심정일 겁니다. 일상이 아닌 비즈니스 현장이라면 성과를 얻어내기 위해 파트너인 상대방의 동의를 끌어내야 하기에 더욱 그러할 겁니다. 얻을 것을 얻으면 솔직한 말로 굳이 더는 상대를 만나고 싶지 않을 때도 있습니다. 하지만 이런 마음은 결국 대화의 과정에서 어떻게든지 상대방에게 드러나기 마련입니다.

저는 첫 번째 문장과 같은 마음을 가지길 권합니다. 대화가 오로지 '상대방의 무엇'을 얻기 위해서라면 커뮤니케이션은 지루하고 재미없어집니다. 이제 우리의 대화는 '상대방, 그 자체'를 얻고자 하는 마음에서 진행되어야 합니다. 상대방을 얻으면 당연히 따라오는 것은 상대방의 무엇일 테니 지나치게 조급해하지 않았으면 합니다. 다가설 때도 예의가 있는 법이니까요.

타인을 온전히 얻고자 하는 게 우리의 말하기가 지향하는 바입니다. 나를 제외한 모든 사람은 타인입니다. 타인을 의식하면서 살아가고, 타인에게 이해되기 위해 살고자 하는 게 우리의 삶입니다. 이 근본적인 전제를 부정한다면 사실 말하기는, 대화는, 커뮤니케이션은 모두 불필요합니다. 물론 누군가는 이렇게 말하더군요. "고작 누군가로부터 이해받으려고 살아야 하는가."

어떤 이유인지는 몰라도 관계 속에서 누군가의 말과 행동으로 마음의 상처가 크기에 이런 말을 했을 겁니다. 하지만 이에 대해 저는 다소 냉정하게 답하고 싶습니다. "나와 다른 누군가로부터 이해받으려는 노력이 불가능하다면 혼자 살아야 합니다." 대화의 전제는 '사회'이기 때문입니다. "커뮤니케이션? 인생은 혼자 사는 거야!"라고 외친다면 사회 구성원의 태도로서 부족합니다.

당당하게 타인들에게 이해받기를 원하십시오. 이를 위해 자신의 대화를 되돌아보세요. 적절한 시기에 적절한 방법으로 말할 수 있는 능력이 필요합니다. 특히 상대방에게 다가서기 위해서는 첫 시작의 말이 중요합니다. 여기서 또 우리는 착각합니다. 대화는 나 자신의 말로 기선제압처럼 시작된다고 말입니다.

그래서 특이하게 인사 하려고 하고, 자신을 과대포장해서 소개하기도 합니다. 사생활은 조심스럽게 접근해야 하는 영역임에도 속칭 호구조사라고 불리는 나이, 종교, 학력 등에 대한 시시콜콜한 말들을 거침없이 합니다. 커뮤니케이션을 적극적이고 능동적인 과정으로만 이해하는 사람들이 많습니다. 그래서일까요. "일단 들이대!"라고 윽박지릅니다.

상황에 따라서는 이런 태도가 누군가와의 관계를 좁힘에 도움이 될 수도 있겠습니다만, 일반적으로는 실수하기 쉽습니다. 그래서 저는 오히려 이렇게 말씀드리고 싶습니다.

"처음부터 무엇을 말할까 애쓰지 마세요."
"시작부터 무엇을 원한다는 걸 표현하려 들지 마세요."

대화는 상대방의 무엇을 얻으려 할 때 실수합니다. 상대방이 어떤 사람인지 알고 시작할 때 실수를 줄일 수 있습니다. 그러니 이제 대화에 앞서 '이 사람은 도대체 누구인가'부터 생각해주세요. 상대방이 도대체 어떤 사람인지 관심을 가져보는 것에 먼저 집중하되, 자신이 가진 것을 쏟아내어 상대방의 무엇을 얻는 커뮤니케이션에만 몰두하는 건 이제 그만하십시오.

잘 들어주세요. 그리고 관심을 가지세요. 이왕이면 관심을 넘어 관찰의 단계까지 가면 더욱 좋습니다. '커뮤니케이션을 안다'는 말은 무슨 뜻일까요? 커뮤니케이션의 기법을 많이 알고 있다는 뜻이 아닐 겁니다. 커뮤니케이션을 잘하기 위해서는 '대화의 상대방에 대해 내가 아는 것이 무엇인가?'를 확실히 하는 것부터 시작해야 합니다. 그래야 다가서고 또 언젠가는 누군가와 따뜻하게 마주할 수 있을 테니까요.

『논어論語』에는 "아는 것을 안다고 하고, 모르는 것은 모른다고 하는 것, 이것이 바로 앎"이라는 말이 있습니다. 대화의 상대방에 대해 내가 모르고 있음을 인정하고 상대방에 다가서는 것. 이것이 바로 우리의 말이 멀어지는 말이 아닌 다가서는 말이 되는 출발점이 될 것입니다. 상대방에 대해 잘 알지도 못하면서 내가 원하는 걸 함부로 말한다면? 그건 관계를 단절시키는 잘못된 판단의 말하기일 뿐이고요.

지금 우리가 확인해봐야 할 건 무엇일까요? 멀어지는 대신 가까워지기 위한 우리의 말하기 속에서 살펴야 할 것은 '나는 상대방에 대해 무엇을 알고 있지?' 바로 이 질문이 아닐까 합니다. 이 질문에 대해 정확히 답을 할 수 있다면 이제 우리의 대화는 괜찮은 방향으로, 제대로 시작될 것입니다.

모든 관계는 나의 말 한마디에서 시작된다

한 회사에 임원이 있습니다. 자기가 맡은 조직문화의 개선을 도모하고자 50명 가까운 구성원과 저녁에 극장을 빌려 영화를 보기로 합니다. 함께 식사하고, 영화 보고, 영화 종료 후에는 가볍게 맥주 한잔…. 일자와 장소, 그리고 보게 될 영화가 정해집니다. 구성원들도 그에 맞추어 자신의 일정을 조정해둡니다.

그 행사를 며칠 앞두고 갑자기 구성원에게 메일이 옵니다. 내용은 임원에게 일정이 생겨 날짜를 이틀 뒤로 미룬다는 얘기였습니다. 그리고 다음 날에 다시 메일이 옵니다. 보기로 한 영화의 제목이 바뀌었다고. 애초에 보기로 한 영화를 임원이 가족들과 함께 보기로 했다고. 이쯤 되면 구성원들은 이렇게 기대하지 않을까

요? '이제 또 뭐가 바뀔까?'

애초에 이 행사의 목적은 '조직문화 개선'이었습니다. 좋습니다. 어찌어찌하여 식사하고, 영화 보고, 또 즐겁게 맥주 한 잔을 나눴다고 해보죠. 조직문화를 좋은 방향으로 개선하는 기회가 되었을까요? 아니면 '리더 마음대로 일정 바꾸고, 영화 바꾸는 이상한 조직'으로 구성원들이 생각하는 최악의 행사가 되어버렸을까요?

"좋은 시간이었어요. 마침 보고 싶었던 영화고요. 영화 후에 맥주 한잔 마시면서 팀장님과 많은 대화도 나누게 되었습니다"라는 팀원도 분명히 있었을 겁니다. 하지만 이 행사를 두고 다른 생각을 지닌 팀원의 이야기, 혹시 있지 않았을까요. "내가 그 좋은 영화를 왜 임원 옆자리에 앉아서 봐야 해요? 일방적인 일정 변경으로 중요한 개인 약속을 깨면서까지 말이에요."

저부터 반성합니다. 저 역시 '이런 행사를 하면 좋겠다'라면서 '공적인 일, 그리고 가족 일로 시간 변경하고, 영화 변경하는데 그 정도는 이해해주겠지'라면서 일방적인 통보로 행사를 진행했던 그 임원과 다를 바 없었음을 고백합니다. 한마디로 '내 식式'으로 살아왔던 것이죠. 다가설 줄 몰랐고, 마주하지 못했으며 관계를 이어 나갈 줄 몰랐습니다. 부끄러운 일입니다.

대화에 있어서 특히 그러했습니다. 대화란 상대방이 있는 관계의 기술임에도 불구하고, 그러하기에 '내 식'보다는 '상대 식'으로 진행하겠다는 겸손의 미학이 필요함에도 그렇게 하지 못했습니다. 서로 잘났다고 비명을 지르는 시대에 남과는 다른, 우월적 차별화 요소를 마치 대단한 무기인 것처럼 활용했습니다. 저 자신을 낮추는 비움의 기술이 대화의 시작이 됨을 몰랐습니다.

저 자신을 버릴 줄 아는 용기, 남을 배려하는 마음, 이 두 가지가 있었다면 좋았을 텐데 하는 아쉬움이 남습니다. 그 아쉬움을 뒤로 하고 이제 어떻게 해야 겸손하게 말할 수 있는지에 대해 찾아보기로 합니다. 그런데 막막합니다. 설득 하나를 예로 들어도 '도대체 어떻게 경쟁자들과 다른 차별적 요소를 찾아내어 커뮤니케이션 상대방을 설득할 수 있는 걸까?'라는 의문에 대답하기 어렵습니다.

사적인 대화건, 공적인 토론이건 관계없이 다가서고, 마주하며 결국 이어가는 대화를 위한 해결 방법을 찾기가 만만치 않습니다. 이쯤에서 의문이 생깁니다. 대학에서는 왜 사회로 진입하는 예비 사회인들에게 대화를 통한 갈등 해결 방법을 가르쳐주지 않았던 걸까요. 초등학교는 물론, 중·고등학교 때 왜 서로에게 힘이 되어주는 따뜻한 대화하는 법 하나 제대로 배운 기억이 없는 걸까요.

사회에 나와서 힘들었던 것, 전문지식이나 영어 실력 때문이었나요. 그것보다는 말하기, 듣기, 그리고 인간관계 등이 더 문제가 되지 않았었나요. 사실 인간관계의 핵심은 커뮤니케이션입니다. 그런데 커뮤니케이션에 능숙한 사람이 드물다는 이 아이러니, 우리가 극복해야 할 과제입니다. 달리 생각하면 좋은 기회일 수도 있겠습니다. 무슨 말일까요.

말 하나만 예쁘게 잘해도 남들과 차별화할 수 있는 우월적 특징 하나를 획득한 것이나 다름없다는 말입니다. 대화 하나만으로도 '이겨놓고 싸울 수 있는 조건', '원하는 걸 얻어내기 위한 시발점'을 설계해두고 시작한 것과 같게 됩니다. 그렇다면 '말 하나만 잘해도'에 있어서 중요한 키워드는 무엇일까요. 저는 이를 '겸손'으로 봅니다. '내려놓음', 혹은 '버림'이라는 말로 생각해도 되겠습니다.

겸손이란 '내 식'이 아닌 '상대 식'으로 생각하고 말하는 것을 의미합니다. 많은 것을 말하지 않아도, 목소리에 힘을 주지 않아도, '내 식'이 아닌 '상대 식'으로 대화를 이어간다면 우리는 이전에 얻지 못한 많은 걸 얻을 수 있습니다. 자기가 말하고 싶은 것을 말하는 게 아니라 상대방이 듣고 싶어 하는 말을 하는 것, 이것이 나와 다른 규칙으로 살아가는 상대방에게 다가서는 말하기의 정석입니다.

상대에게 말한다는 것, 이는 내 자존심을 모두 내려놓고 굴욕적으로 말하는, 일종의 약자의 말하기인 걸까요. 아닙니다. 세상을 변혁했던 사람들이 오히려 자기를 내려놓는 용기를 갖고 상대의 마음을 배려하는 말하기에 익숙합니다.

언젠가 스티브 잡스의 프레젠테이션을 보게 되었습니다. 아이폰이 나오기 이전의 동영상으로, 지금은 단종된 엠피스리mp3 플레이어 아이팟iPod을 설명하는 장면이었죠. 몇십 분 동안 프레젠테이션을 하는 내내 스티브 잡스는 '작다'라는 아이팟의 콘셉트 단 하나만 강조했습니다. 처음부터 끝까지 일관되게 '우리 회사 제품은 작다'라고만 말하는 일종의 커뮤니케이션 카리스마가 대단했습니다.

연출이 재밌었습니다. 청바지의 동전 주머니를 클로즈업해 대형 화면에 비춘 후, 청중에게 다음과 같은 질문을 던집니다. "과연 이 포켓은 무슨 용도로 있는 걸까요?" 사람들이 무슨 소리를 하는 건지 궁금해하는 순간 그곳에서 아이팟을 꺼냈습니다. 그리곤 얼마나 가벼운지, 얼마나 작은지를 쉽게 설명했습니다. 그 후에도 그의 작음에 대한 집착은 대단했습니다. 스티브 잡스는 아이팟의 최신 기능에 대해 구구절절 설명하지 않았습니다. 오로지 '작다'라는 개념 하나만 끝까지 물고 늘어집니다. 당시 세계 시장 점유율 1위이던 국내 엠피스리 플레이어 회사의 것은 물론 해외 유수 업체의 그것들을 모두 끄집어내어 비교하는데 비교의 기준은 단 하나, 오직 '얼마나 작은가'였습니다.

그는 알고 있지 않았을까요. 기능보다는 무게와 크기가 상품 소개를 듣는 상대방, 즉 소비자가 원하는 키워드였다는 것을 말입니다. 그렇게 그는 타사의 상품에 비해 자기 회사의 제품이 얼마나 작고, 얼마나 가벼운지에 대해서만 악착같이 말을 이어 나갑니다. 타사를 비판하지도 않고, 자기 회사 제품의 기능을 일일이 설명하지도 않았지만, 경쾌한 프레젠테이션, '내 식'이 아닌 '상대 식', '당신 식'의 말하기로서 최고의 모범 사례라고 생각했습니다.

얼마 후 국내의 한 회사에서 이와 비슷한 상품을 출시했습니다. 해당 회사의 임원이 나와서 제품 설명회를 열었는데 실망이었습니다. 너무나 장황했습니다. '내 식'으로 상품을 설명하려는 욕심이 강했을 뿐, 상대방, 즉 소비자에 대한 배려는 부족했습니다. 새로운 기능은 이렇고 저렇고 하면서 깔끔하게 비교된 표도 있었고, 프레젠테이션의 음향효과와 화려한 색채도 압도적이었지만, 스티브 잡스의 프레젠테이션을 도저히 따라가지 못했습니다.

'상대 식'이 아닌 '내 식'으로 세상과 소통하는, 그리고 소통하지 못하는 사람의 극명한 대비였습니다. '장황함'과 '간결함'의 싸움이었던 거였죠. 결과는? 예상대로 스티브 잡스의 승리였습니다. 프레젠테이션도, 상품 판매량도. 우리의 말 역시 스티브 잡스의 프레젠테이션과 닮아야 합니다. 필요한 것만을 말하고 불필요한 것은 버리고.

왜 우리는 말을 하나요. 무엇인가를 얻기 위해서 말합니다. 하지만 세상에 만만한 상대방은 없습니다. '그냥 아낌없이' 주는 것은 아마 나와 당신의 부모밖에 없을 겁니다. 세상 그 누구도 가만있는 나에게 좋은 걸 주지 않습니다. 상대방으로부터 무엇인가를 얻고자 한다면, '상대 식'의 말을 할 줄 알아야 합니다. 상대방에게 한 걸음 다가서고자 하는 우리의 말하기 예절입니다.

제 사례를 소개해볼까 합니다. 몇 년 전에 재직했던 어느 회사의 혁신 커뮤니티에 한 명의 구성원으로 참여할 때의 일입니다. 모이라고 하더군요. 약 스무 명이 넘는 사람들이 회의실에 모였습니다. 잠시 후에 리더가 입장하고 자기를 소개하는 시간이 시작되었습니다. 다른 분들이 말하는 것을 보는데 조금 심심했습니다. '자기 PR의 기회인데 왜 저렇게 간단히 말을 끝낼까?'라는 생각이 들었습니다.

제 차례가 왔습니다.

"저는 이 혁신 커뮤니티에 들어온 것을 영광으로 생각합니다. 현장에서 느낀 모든 것에 대해 여러분과 함께 생각하고 싶습니다. 저는 지금 영업사원으로 현장을 누비고 있습니다. 현장에서 모든 것이 나온다고 생각합니다. 고객을 모시는 영업사원으로서 회사의 혁신을 위해 함께하겠습니다. 현재 저는 VIP 고객 중에서도 VIP 고객을 모시고 있습니다. 잘 모셔서 올해도 꼭 제 개인적인 성과를 달성하기 위해서…."

말이 끝나지 않았는데 저는 리더로부터 이야기를 멈추도록 요청받았습니다. '시간이 부족하니 간결하게 말해주세요'라는 부탁과 함께 말이죠. 부끄러웠습니다. 저는 말이 쓸데없이 많았습니다. 굳이 개인적인 성과에 대해서까지 말할 이유는 그 어디에도 없었습니다. 그건 편협한 저의 '내 식'이었던 것이죠. '많이 말해야 한다고, 그래야만 내가 차별화 된다'라고 착각했던 것이고요.

지금의 저라면 이렇게 말하고 바로 자리에 앉겠습니다.

"혁신 커뮤니티에 들어온 것을 영광으로 생각합니다. 제 노력이 회사 전체에 활력을 주어 혁신의 밑거름이 되기를 바랍니다."

자기 차례가 왔다고, 분량 욕심에 그저 그런 이야기를 길고 오래 하는 것은 '내 식'입니다. 이래서는 상대에게 다가서기 힘듭니다. 타인에 대한 배려의 부족함만 드러내는 것입니다. 중요한 것을 제외한 모든 걸 버리는 용기, 상대방을 한 번이라도 더 생각하면서 자신을 낮추는 지혜, '상대 식'으로 말할 줄 아는 배려심. 이런 것들이 모여서 비로소 우리가 누군가에게 다가서는 기회를 주게 될 것입니다.

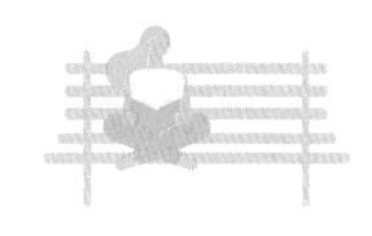

3000만 원을 벌어다 준 예쁜 말 한마디

제가 아는 한 부부의 이야기입니다. 그 부부는 지금 살고 있는 지역의 아파트를 매도하고 다른 지역으로 이사를 하려고 했습니다. 이사 예정 지역에 마침 괜찮은 매물이 나와 당장 계약을 해야 했습니다. 기존에 살던 아파트를 매도하게 되었죠. 모든 게 잘 진행되나 했는데 계약 당일에 갑자기 매수자가 애초에 이야기한 금액에서 3000만 원을 더 깎아달라고 합니다.

당연히 성질이 났겠죠. 모든 게 잘 진행되고 있는데 사소한 이유를 들어 값을 후려치는 모습에서 '그냥 이사하지 말까' 하는 생각도 잠시 했답니다. 하지만 현명했던 이 부부는 상대의 엉뚱하고 무례한 요구를 감정적으로 받아들이지 않고 이성적으로 대안을 제시하는 것으로 대신합니다. 어떤 말을 상대방에게 건넸던 걸까요.

매수하려는 사람은 결혼을 앞둔 부부였는데 거래 과정 전체를 예비 신랑의 어머니가 주도했답니다. 계약 과정에서 다소 늦은 아들의 결혼이라는 점과 결혼 전임에도 벌써 손자 욕심부터 내던 어머니를 머리에 떠올렸다고 합니다. 이를 종합해서 결국 최종 가격에서 티격태격하다가 잠시 쉬는 시간에 차를 마시다가 이렇게 말을 했답니다.

"그거 아세요? 어머님? 이 집은 이상하게 아기가 잘 생겨요. 저도 아들 둘을 낳았는데, 저보다 먼저 살았던 분도 아들만 둘이었더라고요."

이 동네에는 마트가 가까워서 좋아요, 초등학교가 3분 거리예요, 지하철이 걸어서 5분이에요 등 수많은 말을 해도 별다른 관심이 없었던 매수자의 어머니는 이 부부의 말에 가격 낮추자는 말이 쏙 들어가 버렸답니다. 바로 계약하자고 했다네요. 어떠신가요. 상대방에게 다가서는 정도가 아니라 상대방의 마음을 쏙 꺼낸 것 같은 말이 아니었을까요. 말 한마디로 3000만 원을 번 것이죠.

사례를 되돌아봅니다. 대화에서 충돌의 표면적 이유는 '돈'이었습니다. 하지만 해결은 '돈 그 자체'가 아닌 다른 방법, 즉 상대방이 원하는 것을 한 번 더 생각해보고 한 말하기로 완성되었습니다. 그야말로 예쁘지 않습니까? 직장이든, 아니면 일상이든, 우리의 말하기는 이와 같아야 합니다. 문제가 해결되지 않는다고 윽박지르기 전에 상대방의 욕망needs을 살핀 배려의 말 한마디가 필요한 이유입니다.

한 치의 양보도 없는 대립의 절정, 약간의 물러섬도 곧 패배로 느껴지는 갈등, 이런 모습은 우리가 기대한 바가 아닐 겁니다. 한 걸음 더 다가서기 위해서라도 서로 조심하고, 위로해주는 말을 상대방에게 건넬 수 있기를 바랍니다. 그동안 고립되어 혼자만의 영역에서 자기의 일을 해오느라고 지친 상대방을 위해 위로와 격려의 예쁜 말 한마디쯤은 할 수 있었으면 합니다.

이쯤에서 제 얘기를 해볼까 합니다. 주변에 사람이 없었던 저의 부족함을 반성하는 마음으로 하는 부끄러운 고백입니다. 대학 때였습니다. 나름 사회문제에 관심이 많았습니다. 세상의 약자들에 대해서 관심을 두게 되었고 관련 동아리에도 가입하게 되었습니다. 세상의 불공정에 대해 왠지 모를 안타까움을 키워갈 무렵 술자리에서 1년 선배였던 한 선배가 이런 말을 하는 걸 보게 되었습니다.

"세상의 불의에 분노할 줄 모르는 사람이 되어서야 하겠는가?"

선배의 말, 왜 그렇게 멋졌던지요. 불의가 뭔지도 잘 모르는 저였지만 '분노'라는 단어 하나에 말 그대로 꽂혔습니다. 세상의 모든 악을 찾아내어 비난하고, 더 나아가 필요하면 사회 변화를 만드는 데 공헌하려는 신념이 생겼을 정도였으니까요. 그때의 제 모습, 지금도 부끄럽지 않습니다. 그때는 그 생각이 옳았으니까요.

하지만 사회인이 되어서도 여전히 '어렸을 적의 그 치기 어린 분노'를 유지했던 게 저에게는 뼈아픕니다. 꽤 긴 시간 동안 분노에만 익숙했던, '의욕 과잉의 부정주의자'였던 제 모습은 솔직히 부끄럽습니다. 특히 '삐딱하게' 세상을 보는 시각, 좋은 걸 좋다고 보지 못하는 저의 관점은 사회생활을 함에 있어 큰 결점이 되어 버렸습니다.

제 말투가 그랬습니다. 조금만 제가 생각하는 규칙에서 어긋나도 그것에 대해 비판과 비난을 서슴지 않았습니다. '냉정하고 차갑다.' 주변 사람들이 저의 말하기를 평가할 때 한결같이 나오는 말들이었습니다. 한 마디로 '못생긴 말' 그 자체였죠. 그런 저의 모습에 주변 사람들은 하나둘 저를 떠나가 버렸습니다. 어느새 제 주위엔 아무도 없게 되었습니다.

저는 인간관계에 있어 제가 다가서기는커녕 저를 향해 다가오려는 사람조차 의심의 눈으로 바라봤습니다. 물론 여기에는 사회인이 되어서 겪었던 수없이 많은 부정적 경험, 예를 들어 배신과 배반의 기억들이 저를 이렇게 만든 게 아닌가 하며 변명하려는 생각이 있음도 분명합니다. 그렇지만 늘 부정적이고 비판적이며, 거기에 분노 가득한 표정으로 일상을 살아간 제 모습은 아쉽기만 합니다.

마하트마 간디의 말입니다. "미래는 우리가 지금 무엇을 하는

가에 달렸다." 맞습니다. 미래는 결국 현재라는 시간을 어떻게 다루느냐에 따라 그 성공과 실패가 좌우되는 그 무엇입니다. 이때 현재를 다루는 건 우리가 지금 여기에서 누군가에게 건네는 말로부터 시작됩니다. 부정적인 말로 상대방과 소통을 시도해봐야 그 관계가 온전할 리 없습니다. 그걸 저는 잘 몰랐던 것이죠.

「봄날은 간다」라는 영화가 있습니다. 노래도 있고요. 저는 영화의 내용과 노래의 멜로디를 떠나 '봄날은 간다'라는 언어 그 자체에 '나의 찬란했던, 소중했던 시간이 지나가고 있다'라는 생각을 하곤 합니다. 강제적으로 거리를 둬야 했던 시간이 누구에겐 나빴고 누군가에는 좋았던 시간일지 모릅니다. 하지만 이제는 멀어졌던 마음들이 가까워져야 하는 시간입니다. 가까워지기 위한 최고의 도구는 예쁜 말입니다.

열린 마음으로 상대와 마주하고, 관계를 이어가는 대화에 집중하는 태도가 중요합니다. 비대면에서 대면으로 전환하는 시기에 우리가 가져야 하는 말하기를 점검해야 할 이유입니다. 오랜 기간 멀어졌던 사람과 사람 사이의 거리가 어느덧 조금씩 가까워지고 있는 이때, 그동안 멀어졌던 그 누군가와의 마음의 거리를 서서히 좁히려는 노력이 필요한 겁니다.

나와 다른 상대방에게 다가서기 위해서라도 말하기를 두려워할 이유는 없습니다. 다가설 용기만 있다면, 이제 그냥 행동하면 됩니다. 소극적인 텍스트 위주의 커뮤니케이션이 아닌 나의 목소리가 담긴, 나의 모습을 온전히 보여주는 1 대 1 커뮤니케이션 혹은 '페이스 투 페이스face-to-face 커뮤니케이션'을 하는 것이죠.

나가야 할 때 나가지 못하면 영원히 과거에 머무를 수밖에 없습니다. 과거가 아닌 미래를 말하는 것이 우리가 도전해야 하는 인생의 과제입니다. 물론 '미래의 성취'를 말하기보다 '과거의 잘못'을 탓하는 게 쉬운 건 당연합니다. 미래를 내다보기보다 과거를 들추어내어 서로의 문제점을 밝히는 데에 우리는 익숙한 상태이니까요. 하지만 이제 부정은 그만두고 긍정에 애쓸 때가 되었습니다.

예를 하나 들어봅니다. 당신이 직장인이라고 해볼까요? 상사로부터 다음과 같은 말을 들었다고 가정해보세요. 두 부류의 말 중에서 당신에게 힘을 주는 건, 당신에게 상대방이 다가오는 것 같은 느낌을 주는 말은 어떤 것입니까.

#1
"도대체 그동안 무엇을 했어? 어떻게 보고서가 이 모양이야?"
"시간을 많이 줬잖아요. 그런데 이 문제점 하나 못 잡아내요?"
"누가 이렇게 하라고 한 거죠? 일단 문제를 일으킨 사람부터 찾아냅시다."

#2
"보고서를 정리해야 하는데, 어떻게 하면 보기 좋게 할 수 있을까?"

"이 문제점에 대해 잠깐 이야기해 봐요. 힘을 합쳐서 단기간에 해결책을 찾아봅시다."

"자, 이제 우리가 나설 차례군요. 우리가 생각하는 고객 만족 방안을 고민해보죠."

솔직히 말해볼까요. 2022년 오늘의 대한민국 직장인 대부분은 첫 번째 부류의 말이 훨씬 익숙하게 느껴질 겁니다. 두 번째 부류와 같은 말이요? 글쎄요, 최근 1년 내 들어본 적 있으신가요? 혹시 당신이 조직의 리더라면, 아마 첫 번째 부류의 말을 하는 것이 편하게 여겨질 겁니다. 두 부류의 말 전부 대화의 상황, 대화의 상대에게 말하는 목적이 같습니다. 그러나 전혀 다른 말처럼 느껴지죠.

상대방에게 다가서고 싶으신가요? 그렇다면 우리의 말은 편하고 여유 있고, 또 긍정적이어야 합니다. 그 긍정의 언어는 '지금, 여기'에서 당장 말해져야 하는 그 무엇일 테고요. 첫 번째 부류의 말처럼 과거의 문제에 집착하는 커뮤니케이션이 아닌, 미래를 생각하고, 서로 바라는 결과를 구체화해서 적극적으로 커뮤니케이션하는 두 번째 부류의 대화가 우리와 상대방의 거리를 좁혀줍니다.

언젠가 '관계 유지의 핵심은 무엇을 하는가에 있는 게 아니라 무엇인가를 하지 않는가에 있다'는 말을 들은 적이 있습니다. 그 말에 전적으로 동의합니다. 우리는 말 때문에 관계를 그르칩니다. 못생긴 말, 이상한 말, 나쁜 말…. 아무리 정성 들여 오랫동안 많이 말해봐야 그 속의 단 한마디로 관계가 엉망이 되곤 합니다.

그래서 우리가 해야 할 건 조심스럽고 배려 가득한 따뜻한 예쁜 말 한마디입니다. 잘 알지 못하면 절대 말하지 말아야 하며, 그나마 조금이라도 알고 있다면 당연히 듣는 사람의 관점에서 마음 편한 말을 조심스럽게 건네야 합니다. '내 의도'가 아닌 '상대의 의도' 바로 이 지점에서 말을 건넬 수 있어야 '예쁜 말'이 완성됩니다. 우리도 이제 잘 할 수 있습니다. 아니 잘 해내야 합니다. 원하는 것을 얻기 위해서라도 말이죠.

가장 회복이 어려운 실수가 '말 실수'

아이가 성장하면서 가장 어려운 것이 사회성 발달이라고 합니다. 처음에는 자기가 가지고 노는 장난감만 가지고 집중해 놉니다. 그러다가 친구들이 다가오면 대부분의 아이는 자기 장난감을 뺏는다고 생각해 친구에게 위협적인 행동을 하죠. 하지만 서서히 친구들, 또래들과 시간을 함께 보내면서 서로에게 점차 흥미와 관심을 보이기 시작합니다. 비로소 자신의 장난감도 양보하고, 친구들과 어울려 장난감을 가지고 놀기 시작하며 사회성이 발달합니다. 이처럼 협동은 배워야만 할 수 있습니다. 여러분도 다 이렇게 자라지 않았나요?

다소 부정적이지만 협동에 대한 이야기를 하나 더 하겠습니다. 범죄자의 과거를 보면 학창 시절뿐만 아니라 취학 전 시기에도 타인을 향한 관심 혹은 협력 의지가 상대적으로 결핍된 경우가 많았다고 합니다. 함께하는 법을 제대로 배우지 못했던 것이죠. 이처럼 함께하고, 협력하기 위해선 나와 다른 상대방에 대한 이해의 노력이 필요합니다. 물론 만만치 않은 일이죠. 그래서 대화가 어려운 것 아닌가 하는 생각을 해봅니다.

이렇게 대화는 어렵지만, 상대방은 기다려주지 않습니다. "'발 실수'는 회복할 수 있을지 모른다. 하지만 '말 실수'는 회복하기 어렵다"라는 벤저민 프랭클린의 말처럼 말 한마디 때문에 상대방은 나를 향한 기대를 거둘지도 모릅니다. 그래서 우리는 알고 말해야 합니다. 알고 말한다는 것은 바로 이런 의미입니다. 첫 번째는 상대방을 섣불리 판단하지 않고 말하는 것, 두 번째는 알아야 할 것은 상대방에 대해 알 수 있는 것을 모두 알아둔 상태에서 말하는 것입니다.

말에도 새싹이 있습니다. 새싹은 보호되어야 합니다. 새싹부터 강하게 키워보겠다? 말도 안 됩니다. 새싹은 보호받는 대상이지 훈련의 대상이 아니니까요. 마찬가지입니다. 우리가 새로운 타인을 만나 처음 대화를 시작할 때도 상대방을 보호하고 관리하는 자세가 필요합니다. 상대방이라는 새싹에 물을 주는 심정으로 대화를 시작해야 합니다.

'기브앤드테이크give & take'라는 말이 있습니다. 받기 전에 주라는 말이죠. 이때 주는 것도 잘 줘야 합니다. 당뇨병에 걸린 사람에게 도넛 한 박스를 선물한다면 고맙다는 말보다 분노의 저주를 들을 겁니다. 말도 마찬가지입니다. 아니, 말은 도넛을 선물하는 것보다 더 쉽게 할 수 있기에 더욱 큰 봉변을 당하기 쉽습니다.

말을 건네기에 앞서 상대방이 최소한 보호받아야 하는 것은 무엇인지를 알아야 합니다. 함부로 말을 하다 돌이킬 수 없는 실수에 직면하는 우매함을 더는 지속해서는 안 됩니다. 이를 위해 상대방을 새싹처럼 보살피는 마음으로, 상대방이 원하는 가치를 찾아내어 그것에 대해서만큼은 최선을 다해 보호하는 마음으로 소통해야 합니다. 어떻게 해야 하는지에 대한 해답을 중국의 인문 고전『대학大學』에서 찾아봅니다.

"다른 사람이 싫어하는 것을 좋아하고 다른 사람이 좋아하는 것을 싫어하는 것이야말로 사람의 본성을 거스르는 일이니, 그리하면 반드시 재앙이 자신에게 이르게 될 것이다."

타인에 대해 관심을 가져보라는 말일 겁니다. 상대방이 싫어하는 것을 함께 싫어하고, 좋아하는 것은 최선을 다해 찾아내어 좋아하는 자세가 대화의 기본이라는 것이죠.

그렇다면 상대를 보호하는 말하기는 어떻게 해야 할까요? 다음 사례를 같이 살펴볼까요? 대화는 당신과 당신의 거래처 담당 김 과장, 그리고 김 과장의 상사 이렇게 세 명이 등장합니다. 업무 협의를 마치고 저녁을 먹으며 가벼운 대화를 나누는 상황입니다.

#1

당신 : 김 과장님은 영혼이 자유로운 분 같으세요.

김 과장 : 네?

김 과장의 상사 : 무슨 말씀이신지.

당신 : 항상 여유가 있으시고 가정에 충실하면서도 취미 생활도 잘하시잖아요.

김 과장 : ….

당신 : 원래 마음이 편한 분이 회사에 적응도 잘하시더라고요.

김 과장 : ….

김 과장의 상사 : ….

#2

당신 : 김 과장님은 회사에 대한 애정 하나는 최고이신 것 같아요.

김 과장 : 네?

김 과장의 상사 : 무슨 말씀이신지.

당신 : 언젠가 김 과장님이 회사의 비전에 대해 진지하게 말씀하시는데 마치 제가 김 과장님 회사의 직원이 된 느낌이 들 정도였다니까요.

김 과장 : 아휴, 별말씀을….

김 과장의 상사 : 원래 우리 김 과장이 회사에서도 인정받는 친구로 유명합니다.

차이점을 발견하셨나요. 첫 번째 사례의 경우 당신은 큰 결례를 범한 겁니다. 상대방이 반드시 지켜내고 싶은 가치에 대해 그 어떤 배려도 없이 막말하고 있는 것이죠. 더 이상의 관계를 유지하고 싶지 않은 이상에야 저렇게 말할 수 없습니다. 아니, 아무리 친분이 있는 경우라도 공적인 자리에서 상대방에게 문제가 되는 말을 쉽게 해서는 안 됩니다.

상대방의 체면을 살려주는 것, 즉 상대가 주위 사람들로부터 위엄을 지킬 수 있도록 도와주는 것, 이 정도는 해줘야 합니다. 우리는 두 번째 사례처럼 말할 수 있어야 합니다. 세상 모든 사람은 자신의 일터에서, 자신의 자리에서 인정받고자 하는 마음이 강합니다. 상대방은 자신이 능력자라는 점을 인정받기 원한다는 걸 꼭 기억하세요.

우리의 말하기가 정말 상대방이 능력자임을 증명할 수 있는 언어로 구성되어 있는지 점검해보세요. 상대방에게 다가서고 싶다면 우선 말하기 속에서 상대방이 무엇을 원하는지, 무엇을 원하지 않는지, 즉 상대방의 핵심 가치를 아끼고 보호하는 말을 고민하는 것에서 시작됨을 기억해두시기 바랍니다.

마음의 거리를 좁히는 대화법

다가선다는 건 사랑할 줄 안다는 뜻일 겁니다. 사랑할 줄 모르겠다면, 사랑하는 사람이 없다면, 저는 이렇게 말씀드리겠습니다. 주변에 있는 아주 작은 하나를 사랑하는 연습부터 해보면 어떻겠느냐고요. 그러다 보면 언젠가는 다른 모든 것도 사랑할 수 있게 되고, 그렇게 다가서고 마주하며 함께 대화를 나누면서 좋은 관계를 맺는 결과를 얻게 되지 않을까 합니다.

사람과의 갈등은 말로도 시작되나 그 해결되는 지점 역시 속내 깊은 대화를 나누면서 시작됩니다. 말이란 인간이 세상을 살아가기 위해 본능적으로 역량을 갖고 태어난, 그리고 후천적으로 수없이 많은 시행착오를 통해 얻게 된 최고의 기술입니다. 우리 모두에게는 상대방에게 말을 할 수 있는 발성기관과 언어를 만드는 뇌를 가지고 있습니다. 갖고 있다면 잘 활용해야 합니다.

1303호의 제가 아래층인 1203호의 누군가에게 층간소음을 유발해놓고선 이를 조심해달라고 찾아온 아래층 사람에게 "아이들을 키우고 있는데 그것도 이해 못 해주시나요!"라고 되려 화를 낸다면 층간소음은 서로의 다가섬이 아닌 멀어지는 관계, 적대적인 관계의 원인으로만 작용할 뿐입니다. 이처럼 나의 말이 상대에게 갈등을 일으키는 층간소음 가해자가 되어서는 안 될 것입니다.

그렇다면 어떻게 다가서고, 어떻게 사랑해야 할까요? 보통 우리는 다가서기 위해서, 가까워지기 위해서 '상대방 그 자체' 그리고 '상대방이 처한 상황 그 자체'를 바꾸려고 합니다. 무모한 일입니다. 나와 다른 상대방을 있는 그대로 사랑하는 것, 이것이야말로 상대방에게 다가서는 첫 번째 임을 기억해야 합니다. 이를 재미있게, 아니 서늘하게 설명해주는 이야기가 있습니다. 중국 인문고전 『장자莊子』에 나오는 일화입니다.

남해의 임금 숙과 북해의 홀, 그리고 그 가운데를 다스리는 임금 혼돈이 등장인물입니다. 숙과 홀은 수시로 혼돈의 땅에서 만납니다. 그때마다 혼돈은 두 사람을 잘 대접합니다. 숙소도 제공하고, 맛있는 음식도 준비했습니다. 매번 얻어먹기만 해서 미안해진 숙과 홀은 혼돈의 덕에 보답하고자 의논하기 시작합니다. 그 결론은 이러했습니다.

"사람은 누구나 일곱 구멍이 있어서 그것으로 보고 듣고 먹고 숨을 쉬는데, 혼돈에게는 그것이 없지 않은가! 그래, 우리가 그 구멍을 뚫어주자."

숙과 홀은 하루에 하나씩 혼돈의 몸에 구멍을 하나씩 뚫기 시작합니다. 그리고 마침내 7일째 혼돈은 죽고 맙니다.

우리의 말을 한 번 되돌아봅니다. 혹시 우리의 말은 혼돈의 몸에 구멍을 뚫으려는 숙과 홀의 행동과 같은 것은 아니었는지 궁금합니다. 그냥 놔두지 못해서 파멸에 이르는 참사! 좋은 사람이, 사랑하는 사람이 있는데 그냥 놔두지 못해서 잘못된 말과 행동을 하고 그로 인해 관계가 파멸에 이른다면, 우리의 의도는 비록 선의였다고 할지라도 그 결과는 너무나 아쉽습니다.

나와 다른 누군가를 만났을 때 우리는 그 누군가의 기대를 생각하는 대신 나의 기대를 관철하려고 애를 씁니다. 이 무모한 기대는 결국 타자를 파멸로 이끈 뒤에야 비로소 좌절되고 말죠. '사랑했는데 파멸했다'라는 모순이 발생하는 겁니다. 상대방을 위해 그토록 노력과 헌신을 했음에도 오히려 그것이 사랑하는 나와 상대방의 관계를 파멸시키는 일, 얼마나 끔찍한가요.

우리는 오늘도 누군가에게 다가서고자 합니다. 사랑과 기쁨의 관계를 꿈꿉니다. 하지만 자기 자신의 존재를 집요하게 유지하려는 그 거친 언행을 버리지 않는 한 나와 다른 누군가를, 그것도 사랑하는 누군가를 죽음에 이르게 한다는 것을 늘 기억해야 합니다.

말 한마디라도 조심스럽게 표현해야 할 이유입니다. 흔한 일상에서 일어날 만한 사례를 통해 이야기를 계속해봅니다.

집 앞에 카페가 새로 생겼습니다. 따뜻한 카페라테 한잔을 마시려고 문을 열고 들어섰습니다. 분위기가 좋습니다. 커피 전문점의 직원에게 향합니다. 아쉽게도 손님이 다가왔음에도 핸드폰에서 눈을 떼지 못합니다. 직원은 뭐가 재미있는지 주문을 받으면서도 핸드폰에 눈을 둡니다. 대접받지 못한 기분에 마음이 상해버린 당신, 이렇게 말해버립니다. "저기요. 손님이 왔으면 똑바로 주문을 받아야죠!"

내 돈을 내고 내가 마시는 커피니 이렇게 말할 자격이 있다고 할 수 있겠습니다. 하지만 과연 그럴까요. 당신의 말이 핸드폰을 보는 점원의 태도를 정말 근본적으로 바꿀 수 있는 걸까요. 일시적으로 바뀌겠지만 그건 상황에 따른 응대일 뿐일 겁니다. 결국 불편하고 피곤한 사람은 집 주변에 변변한 카페가 없어서 그곳을 다시 찾아야 하는 당신일 가능성이 큽니다. 점원을 다시 봐야 하는 당신만 불편할 뿐이죠.

지나간 일은 지나간 겁니다. 그리고 오해를 한 것일 수도 있습니다. 해당 카페의 사장이 혹은 점장이 직원에게 메신저로 어떤 지시를 내린 것일지도 모르니까요. 그러니 지금 당장 앞에 있는 상대방의 상황을 비판하거나 바꾸려고 애쓰는 대신 여유롭게 말 한마디를 건네는 건 어떨까요. 예를 들어 핸드폰에 눈을 계속 두는 점원과 이렇게 대화를 이어 나가는 거죠.

"매장에 커피 향이 참 좋은데요."

"네? 아, 네. 감사합니다."

"커피 향만큼 맛있는 커피…, 기대하겠습니다."

"네, 알겠습니다."

카페 사장의 지시라고 할지라도, 아니 점원이 잠시 시시껄렁한 유튜브 동영상에 눈을 둔 경우라고 할지라도 이제 관심은 당신을 향하게 되지 않을까요. 정성스럽게 추출한 커피 한잔을 기대할 만하게 된 거죠. 여기에서 한 걸음 더 나아간다면? 커피를 마시고 나서 이렇게 말해보세요.

"커피 맛이 프랜차이즈 커피 전문점과는 다른데요? 맛있었어요!"

"원두를 좋은 걸 써서 그런 것 아닐까 합니다."

"아닙니다. 커피는 손맛이죠. 잘 마셨습니다."

그 카페, 그리고 그 직원, 앞으로는 당신의 카페요, 당신의 좋은 상대가 되지 않을까요. 다시 방문하게 된다면 그 직원은 아무리 재미있는 영상을 보고 있더라도 당신의 모습을 보고 얼른 핸드폰을 잠시 옆으로 놔두지 않을까요. 당신을 향한 환한 미소는 덤일

것이고요. 아니, 서비스로 가벼운 스콘 비스킷 한 조각이 나올 수 있을지도 모릅니다.

언젠가 재미있는 이야기를 듣게 되었습니다. 한 카페의 사장이 손님들로부터 늘 언어폭력에 시달리는 아르바이트 학생들을 위해 메뉴판을 다음과 같이 고쳤다고 합니다.

카페라테	6000원
카페라테 한잔 주세요!	5000원
안녕하세요. 카페라테 한잔 부탁드립니다!	4000원

다가서고 마주하고, 더 나아가 결국 관계가 이어지는 말하기의 기술은 생각보다 멀리 있지 않습니다. 어렵지도 않고요. 충분히 해볼 만합니다. 그 과정에서 당신은 2000원을 더 얻게 될 수도 있습니다. 다가서는 말 한마디를 잘한 당신에게 주어지는 기분 좋은 보너스입니다.

나를 먼저 응원할 수 있어야
타인도 배려할 수 있다

말은 그저 많이 한다고 잘할 수 있는 게 아닙니다. 대화의 마디마디마다 자신을 돌아보는 시간을 가지면서 때로는 반성하고 때로는 개선해야 합니다. 그렇게 잠시 멈춰서 자기가 했던 말의 파편들을 관찰하는 시간이야말로 앞으로 다가올, 다가서야 할 그 누군가와 아름답게 조화를 이루며 지낼 수 있는 근간이 됩니다.

말을 잘해야 하는 이유는 무엇일까요. 누군가에게 다가서기 위해서 왜 표현 하나도 조심스럽게 골라야 하는 걸까요. 리 아이아코카Lee Iacocca라는 분이 있습니다. 미국 3대 자동차 회사 중 두 곳인 포드와 크라이슬러의 최고경영자로 재직한 유일한 인물로서, 특히 크라이슬러의 극적인 재기로 미국 대통령 후보 물망에까지 올랐던 분이죠. 이분이 했다는 말 중 이런 게 있습니다.

"자신의 능력과는 무관하게, 나를 둘러싸고 있는 사람들이 나를 어떻게 생각하느냐에 따라 성공이 갈린다."

'능력과는 무관', '나를 둘러싼 사람', '나를 어떻게 생각하느냐' 짧은 문장이지만 이 세 가지 말은 우리의 말하기에 대해 큰 가르침을 줍니다. 바쁜 세상에서 누군가와의 만남은 짧을 수밖에 없는데 그때 우리가 해야 할 것은 최선의 노력이며, 그 노력은 이해관계에 얽힌 만남이 아닌 진정성 있는 만남이어야 하고, 이를 설계하는 것이 말하기라는 것이죠.

말하기보다 듣기가 중요한 이유일 수도 있겠습니다. 다가서기 위한 말하기는 내 이야기를 하려고 애쓰는 게 아니라 상대방이 스스로 이야기하도록 하고, 그것을 통해 상대방이 자기를 객관화하게 한 후 비로소 합리적이며 이성적으로 우리와 대화를 할 수 있게 유도하는 것이죠. 함부로 상대방을 변화시키려 하기보다는 상대방이 스스로 우리가 원하는 말을 하도록 해야 합니다.

그러니 "어떻게 생각하세요?"라는 질문의 말과 "그렇군요!"라는 감탄의 말을 건네면서 우리는 상대방의 마음을 이해하고, 상대방은 스스로 자신을 돌아보도록 해야 합니다. 이렇게 서로의 거리가 가까워집니다. 우리는 다가서고, 마주하며 결국 관계를 이어가는 말하기의 기술을 배우고 또 연습해야 하는 이유입니다. 나와 같은 생각을 하면 좋겠지만, 설령 당장 의견이 일치하지 않더라도 질문을 통해 거리를 좁혀가는 것이죠.

여기에서 잠시, 자기 자신에 대한 위로가 필요합니다. 급해지지 말아야 합니다. 우리는 숨 돌릴 틈도 없이 새로운 것을 찾아 헤매는 일상에 익숙합니다. 그러나 새로운 과제를 찾고, 새로운 사람을 찾아다니는 우리의 모습은 오히려 관계를 멀어지게 합니다. 부담으로 다가서게 만들어 상대방이 우리를 피하게 만드는 것이죠. 서두름의 중간에 잠시 멈춰서 자기를 격려해야 할 이유입니다.

상대방에게 다가서기 위해서 좋은 이야기를 건네고, 긍정을 말해야 함은 당연합니다. 하지만 상대방에 대한 배려 그 이상으로 스스로 자기 자신을 인정해주는 것 역시 중요합니다. 특히 에너지가 소모될 수밖에 없는 대화의 상황 속에서 잠깐이라도 자신을 격려하는 건 아름다운 일입니다. 누군가와 말을 나누는 건 힘든 일입니다. 그러니 대화의 순간마다 자신을 격하게 칭찬해주세요.

어렵지 않습니다. "아, 잘했어!" 스스로 이렇게 말하면 됩니다. 중얼거려도 좋습니다. 이 말을 들은 누군가가 미쳤다고 해도 좋습니다. 이왕이면 귀에 안 들리는 혼잣말 따위는 하지 마세요. 지금 당신이 카페에 있다면 최소 옆자리의 사람이 당신을 돌아볼 정도로 스스로 감사의 마음을 표현하세요. 당당하게 말입니다. 어떻게요? "나 정말 잘했어! 나 정말 잘살고 있어!"

스스로 감사하지 못하는 사람이 그 어떤 사람에게도 감사하기란 불가합니다. 그러니 이제 말할 수 있어야 합니다.

"그래, 오늘 나 진짜 멋있었어!"

"맞아. 나니까 이런 일을 한 거야!"

"아, 기분 좋다. 정말 모든 게 잘 될 거야."

하루에 한 번, 아니 몇 번이라도 좋으니 나를 응원하는 것에 익숙해지세요. 나를 응원할 줄 아는 사람만이 비로소 타인을 향해 배려의 마음을 가질 수 있습니다. 우리의 지친 마음은 그 누구보다도 우리 스스로가 먼저 자신에 대해 위로해야 합니다. 한 광고에선 '피로회복제가 약국에 있다'라고 하더군요. 글쎄요, 저는 약국 가기 전에 '나 자신'을 위로하는 말로 먼저 피로를 풀어보라고 권하고 싶습니다.

나를 먼저 응원해주세요. 사람은 자신과 소통할 수 있을 때 비로소 사람다워지기 마련입니다. 내가 누구인지, 내가 하는 일이 무엇인지 깨닫고 그것을 신뢰해야 하는데, 그 주체는 다른 사람이 아닌 바로 나 자신이어야 합니다. 나를 위한 응원, 그리고 보상에 익숙해져야 할 이유입니다. 스스로에게 "난 참 괜찮은 사람이야. 모두 잘 될 거야"라고 말할 수 있을 때 세상에 한 걸음 다가설 힘을 얻게 됩니다.

그런데 우리의 모습은 어떤가요? "미치겠어", "미워죽겠어", "지긋지긋해" 이런 말을 반복하고 있는 것이 우리의 모습은 아닌지요. 무슨 소리든 만 번을 반복하면 그것은 주문처럼 실제로 그렇게 된다고 합니다. 왜 스스로 자기 자신을 향한 돌이킬 수 없는 악담을 하고 있나요. 어디 그뿐인가요. 자신의 약점을 쉽게 발견하는 사람은 남의 약점 발굴에도 혈안이 되기 쉽다는 말이 있습니다. 이래서야 상대방에게 잘 다가서는 우리가 될 수 있을까요.

아무 생각 없이 반복하는 우리의 말들이 한 번뿐인 우리의 인생을 정말 그렇게 만들어가고 있는 것은 아닌지를 염두에 두세요. 세상 사람들과의 소통에는 익숙해 있지만 정작 나 자신과의 소통에는 문외한으로 남아 있지 않은지 살펴야 합니다. 내 몸에 대해, 내 마음에 대해 진심으로 소통할 수 있어야 합니다. 나에게 스스로 예쁜 말을 해줘야 합니다.

제가 아는 한 분은 매일 아침 출근하면서 욕실의 거울을 보면서 스스로 응원한다고 하시더군요. "오늘도 좋은 하루! 잘 할 수 있어. 내가 아니면 누가?" 퇴근하고 집에 들어와서도 마찬가지랍니다. 거울 앞에서 "힘든 일도 많았지만 좋은 일이 더 많았던 멋진 하루였어. 수고했어." 하루를 잘 살아낸 자신을 향한 보상을 아끼지 마십시오. 세상을 향한 우리의 다가섬이 시작되는 지점이니까요

상대를 내 편으로 만드는 '네 단어'

이런 신문 기사를 보게 되었습니다. 한 남자가 있습니다. 그는 만 여덟 살에 소아암을, 만 스물 두 살에 직장암을 진단받습니다. 성인이 되어 걸린 암을 두고 주변에서 조언이라고, 위로라고 했던 말들이 눈살을 찌푸리게 했습니다. "젊은 사람이 얼마나 건강관리를 못 했기에, 막 살았기에 암에 걸리는 거야?", "괜찮아. 요즘 암, 별거 아니야." 그 남자는 이렇게 말했습니다. "저는 그 별거 아닌 거에 사활을 걸고 싸우는 중입니다."

누군가의 고통에 대해 우리는 쉽게 말합니다. "왜 암에 걸린 거야? 착하게 살았는데"라는 말은 '우리 모르게 나쁘게 살았던 거 아니야?'라는 프레임을 만들어 마음에 상처를 줍니다. 폐암에 걸린 사람에게 "담배 좀 작작 피우지. 내 이렇게 될 줄 알았어"라는 말도 무자비한 폭력의 말이고요. 다가서기는커녕 멀어지고 또 원한의 대상이 될지도 모르는 말인 겁니다.

우리가 상대하는 타인, 즉 나와 다른 누군가는 개인입니다. 그들은 우리의 보살핌의 대상이어야 합니다. 실제로 개인이란 말의 영어 individual의 어원도 집단의 반대 개념으로서의 개인이 아니라 '사회와 분리할 수 없는indivisible 존재'라는 의미에서 나온 말이라고 하네요. 타인을 위한 말하기, 사랑과 공존의 말하기가 우리의 말하기가 되어야 하는 이유입니다.

그런데 이게 참 어렵습니다. 치열한 경쟁 속에서 학교와 사회생활을 하면서 타인을 이기는 말하기가 자신의 언어에 스며들었기 때문입니다. 이렇게 되면 타인은 친구가 될 수 없습니다. 오로지 적일 뿐인 거죠. 적과 함께 지내는 상황… 불안, 초조, 두려움 등 과연 이게 우리가 바라는 일상의 모습일까요.

경쟁에 이겼다고 해볼까요? 그러면 우리는 이제 행복해진 걸까요. 승리자는 과연 무조건의 행복만이 있을까요. 열심히 노력해서 얻은 성취지만 그 기쁨을 나눌 사람이 없다면 과연 행복감을 느낄 수 있을까요. 아닐 겁니다. 타인보다 우월함을 내보이는 성취, 공동체 정신이나 사회적 관심이 배제된 성취는 우리에게 근본적인 기쁨을 주지 못합니다. 이는 결국 우리의 성장에 방해가 될 것이고요.

우리의 말하기가 자기 성장을 가로막는 그 무엇이 된다면 너무나 아쉬울 겁니다. 물론 현재의 교육 체제가 협동보다는 경쟁을 위해 더 많은 준비가 필요하며, 경쟁을 위한 훈련이 최소 십수 년 계속된다는 비극을 지금 당장 어찌할 수가 없다는 건 인정합니다. 하지만 그렇다고 해서 우리 인간에게 주어진, 자기를 자제하고 상대방을 위해 말을 건네는 능력을 무시할 이유는 없습니다.

상대를 알아채는 능력, 상대가 바라는 것에 관심 기울이는 역량, 우리가 나와 다른 누군가에게 한 걸음 더 다가서기 위해 절대적으로 필요한 요소입니다. 타인을 굴복시키는 것은 경쟁에 져서 낙오되어 포기하는 것 못지않은 불행이라는 점을 기억해야 합니다. 상대방으로부터 필요한 것을 뺏고 나면 끝나는 대화가 아니라 원하는 걸 얻기 위해서라도 더욱 겸손한 말하기가 필요합니다.

겸손한 말하기를 위해 저는 '인내'라는 키워드를 제안하고 싶습니다. 인내심은 배워야 하는 겁니다. 그리고 인내심을 배우기 위해 더 큰 인내심을 가져야 한다는 것을 인정해야 합니다. 뭔가 다르다고 선불리 관계의 종료를 선언하는 게 아니라 마지막 순간까지도 상대방과 함께할 수 있는 말 한마디를 하나 더 덧붙이는 것 그것이 바로 우리가 배워야 할 인내심이요, 대화의 정신입니다.

저는 산에 오르는 것을 좋아합니다. 한때는 스트레스가 생길 때마다 노고단에서 천왕봉까지 지리산 종주를 즐겼습니다. 외롭다는 생각이 들 때에는 백담사에서 마등령을 거쳐 설악산 정상에 올랐다가 천불동으로 내려오기도 했습니다. 등산하며 가장 힘들 때는 정상을 눈앞에 두었을 때입니다. 정상에 오르기 직전의 경사는 늘 그렇듯 가파르죠. 하지만 그 고비를 넘겨야 정상에 오를 수 있습니다.

정상에 올랐다면 내려와야 하겠죠? 하산의 그 순간, 긴장은 새롭게 시작됩니다. 몸은 지쳐 있고, 마음은 한결 풀어진 바로 그 순간, 내려오다 발목을 다치거나 체력적으로 탈진하는 사례는 멀리서 찾을 필요 없이 저에게도 흔한 일이었습니다. 이러한 산행의 과정은 우리의 말하기 모습과 너무나 유사합니다.

비즈니스 커뮤니케이션 상황을 사례로 들어보겠습니다. A회사의 영업사원인 당신, B회사에 대규모 프로젝트를 제안했고 수없이 많은 제안과 시간을 투입한 끝에 드디어 최종협상의 순간에 이릅니다. 바로 계약에 성공하리라고 기대했지만 B회사의 계약 담당자가 다른 회사의 제안을 하나 더 받아보고 결정할지도 모르겠다고 새로운 이슈를 제기합니다.

당황스러운 의외의 상황이 돌출했습니다. 이런 상황에서는 어떻게 커뮤니케이션을 이끌어나가야 할까요. 결론부터 말씀드리면 인내가 답입니다. 여기에 상대가 바라는 말 한마디를 덧붙일 줄 알아야 한다는 겁니다. 상대방의 관계 종료 선언에 대해 섣불리 단절을 선언하기보다 상대방이 듣고자 하는 말이 무엇일까 고민하는 인내심만 있어도 문제는 쉽게 풀리기도 합니다.

다음 대화에서 앞서 언급한 상황에서 하수, 중수, 고수의 대화를 한 번 찾아보시기 바랍니다.

#1

상대 : 윗분들께서 한두 개 정도 다른 회사 제안을 더 받아보라고 하는데…. 고민입니다.

당신 : 네? 아니, 이번 달에는 계약한다고 하시지 않았습니까?

#2

상대 : 윗분들께서 한두 개 정도 다른 회사 제안을 더 받아보라고 하는데… 고민입니다.

당신 : 제가 C사의 자료가 있는데, 먼저 우리 A사와 비교한 표를 보내드릴까요.

#3

상대 : 윗분들께서 한두 개 정도 다른 회사 제안을 더 받아보라고 하는데…. 고민입니다.

당신 : 힘드시죠. 김 과장님이 최선을 다한 것을 다들 잘 모르시나 봅니다. 제가 만난 최고의 프로젝트 매니저 중 한 분인데 말입니다. 분명히 윗분들도 김 과장님의 수고를 아실 겁니다. 아, 말씀하신 것은 저도 한번 찾아보겠습니다.

찾으셨나요? 말하기의 고수가 되는 당신이기를 기대합니다.

언젠가 '상대를 내 사람으로 만드는 데는 딱 네 개의 단어가 필요하다'라는 이야기를 들은 적이 있습니다. 그건 바로 '똑똑하다, 멋지다, 대단하다, 좋다'였습니다. 유치하다고 생각하나요. 그렇지 않습니다. 바꿔서 생각해보면 금방 알게 됩니다. 누군가 우리에게 이렇게 말한다면 얼마나 기분이 좋을까요.

"김범준, 자네는 정말 일 처리 하는 것 하나만 봐도 똑똑하다는 생각이 들어!"

"와, 범준 씨가 이렇게 멋진 사람인 줄은 몰랐어요."

"대단하네요. 아무나 할 수 없는 일을 범준 씨가 해냈군요!"

"나는 범준 씨가 참 좋아."

이 네 문장들을 단지 예시로 적었을 뿐임에도, 실제로 제가 들은 말이 아님에도 저는 이미 기분이 좋아졌습니다. 저 자신이 저에 대한 인정과 사랑의 말을 이렇게 쓰는 것만으로도 기분이 좋아지는데 상대방이 나를 향해 이렇게 말한다면 얼마나 좋을까요. 이 네 가지의 말, 즉 다가서기를 위한 '똑똑하다, 멋지다, 대단하다, 좋다'를 기억해두시고 활용하시기를 부탁드립니다.

대화는 지식이 아닌 지혜의 영역

다큐멘터리는 다큐멘터리를 만드는 사람이 만들어내는 예술의 세계입니다. 그건 실제의 모습이라기보다는 예술가의 재해석으로 풀어낸, 일종의 작품입니다. 하지만 우리의 대화에 다큐멘터리 요소를 넣어서는 곤란합니다. 누군가에게 다가설 때 우리 눈의 렌즈는 다큐멘터리를 촬영하는 제작자의 렌즈가 아니라 무심코 상대방을 비추는 CCTV의 그것이어야 합니다.

대화는 지식의 영역이 아닙니다. 지혜의 영역입니다. 대화는 지혜이기에 '지식을 얻으려면 공부해야 하고, 지혜를 얻으려면 관찰해야 한다'라는 말처럼 대화를 위해서는 우선 있는 그대로의 상대방을 관찰할 수 있어야 합니다. 있는 그대로의 모습을 관찰하고 오로지 그것에 대해서만 이야기하는 것, 우리에게 필요한 대화의 기술입니다. 즉 키워드는 '관찰'입니다.

상대방을 보고 섣불리 말하려 하기보다는 관찰을 하루하루 루틴으로 일상화해서 세심하게 상대방을 고려하는 모습은 인내의 즐거움을 이미 터득한 사람의 모습입니다. 상대방의 말과 행동에 쉽게 자기의 감정을 드러냄을 참고 잠시 멈춤을 환영할 줄 아는 모습은 관계를 편하게 만드는 사람의 현명한 태도가 됩니다.

미국의 심리학자 마셜 로젠버그가 이야기한 '비폭력 대화 nonviolent communication' 역시 관찰을 중요하게 생각합니다. 예를 들어 볼까요. 부하가 지각했을 때 보통 상사들은 이렇게 말합니다.

"영수 씨. 뭐야, 또 지각이야? 장난하는 거야? 이렇게 근태조차 지키지 못하는데 다른 일을 어떻게 할 수 있겠어?"

로젠버그는 이렇게 대응하지 말기를 권합니다. 대신 우선 관찰에 집중하라고 합니다. 그리고 다음 3단계의 과정을 거칠 것을 권합니다.

1단계 : 관찰 - "영수 씨가 출근 시간보다 늦는 것을 보면"
2단계 : 느낌 - "팀장으로서 마음이 불편해요."
3단계 : 욕구 - "아침 시간을 의미 있게 쓰기를 바라거든요."

당신이 영수 씨라면 일반적인 상사들의 말을 들을 때와 로젠버그의 말을 들을 때 어떤 느낌을 받을 것 같나요? 전혀 다른 느낌을 받지 않을까요? 그렇습니다. 우선 상대방을 관찰하고, 유대관계를 맺고 결국에는 자기 자신을 더 깊이 이해하는 계기로 삼는 대화 방법, 이것이 우리가 세상 그 누군가에게 다가서기 위한 현명한 대화법입니다.

누군가를 질책할 때만 이런 방법을 사용하는 게 아닙니다. 격려 혹은 응원 역시 이와 같이 진행하면 대화는 한결 세련되어 보입니다. 앞서 소개한 관찰, 느낌, 욕구 3단계를 기억하면서 각각의 단계에서 '나를 기쁘게 한 상대의 행동', '그 행동으로 채워진 나의 욕구', '욕구가 충족되었기에 피어나는 즐거운 느낌'을 이야기해 보면 어떨까요? 그렇다면 이렇게 말할 수 있을 겁니다.

"부장님이 솔루션을 친절하게 설명해주셔서 고맙습니다."
"어떻게 해야 할지 당황했었는데 이제는 마음이 놓입니다."
"덕분에 중요한 일에 집중할 수 있게 된 것 같아 좋습니다."

로젠버그의 비폭력 대화법에서 좋은 일은 부정적인 일의 대화와는 다른, 관찰, 욕구, 느낌의 단계를 거칩니다. 하지만 긍정적이든 부정적이든 전부 공통으로 관찰이 최우선이라는 건 확인할 수 있습니다. 그만큼 관찰은 우리의 말하기에 있어 다가서고, 마주하여, 결국 관계를 맺는 시작점으로 작용합니다.

"2년간 타인이 당신에게 관심을 가짐으로 친구가 된 것보다 두 달 동안 당신이 타인에게 관심을 가짐으로 더 많은 친구를 만들 수 있다."

자기계발의 아버지라고 불리는 데일 카네기의 말입니다. 그 역시 인간관계의 개선을 위해 관찰의 중요성을 강조했습니다. 타인의 관심을 가지려 하기보다는 자기가 먼저 관심을 주고 관찰함으로 더 나은 관계의 개선을 기대해볼 수 있다는 것입니다.

영화 「보이후드Boyhood」를 보셨는지요. 영화 그 자체로도 아름답습니다만 특히 마지막 장면의 대사로 유명합니다. 여기에도 관찰이라는 키워드가 대사에 녹아 있었습니다. 아름다운 석양을 바라보며 주인공 메이슨의 친구 니콜이 담담하게 말하는 바로 그 장면에서의 대화 말입니다.

보통 사람들은 '이 순간을 놓치지 말고 잡아라'라고 말하지.
하지만 나는 그렇게 생각하지 않아. 그 반대라고 생각하지.
순간이 우리를 붙잡는 것이라고.
You know how everyone's always saying, seize the moment?
I don't know. I'm kind of thinking it's the other way
around, you know, like the moment seize us.

인생이란 관계로 이어져 있습니다. 관계는 누군가가 끊임없이 우리를 붙잡는 순간들로 구성되어 있고요. 관찰은 그런 순간을 진실하게 담아내려 노력하는 것이고, 그것이야말로 우리가 누군가에게로 다가서는 대화의 시작점이 됩니다. 다가서길 원한다면 먼저 잘 살펴보시길 바랍니다.

멀어지는 마음을 되돌리는 한마디

문제는 문제라고 입으로 올리는 데서 시작됩니다. 문제가 아닌 것도 문제라고 정의하는 순간 문제가 되어버리는 것이죠. 하지만 문제는 성취 수준으로서의 결과와는 무관합니다. 문제가 아닌 성취에 집중하는 대화를 해야 하는 이유입니다. 물론 문제는 제거해야 할 대상입니다. 하지만 최종적인 해결에 이르기까지 끝도 없이 문제에만 몰두하는 건 에너지 낭비입니다.

우리의 말이 그러합니다. 해결책보다는 문제점만 물고 늘어지는 경우가 허다합니다. 좋은 결과를 보기란 어려울 수밖에 없게 됩니다. 문제에 휘둘려봐야 남는 건 답답함뿐일 겁니다. 문제 중심으로 우리의 대화를 이끌어가지 말아야 할 이유입니다. 문제라는 단어를 입에 올리기를 즐겨하게 되면 우리의 커뮤니케이션은 성취가 아닌 문제에 초점을 맞추게 된다는 사실을 기억해야 합니다.

전자제품을 만드는 회사가 있다고 해볼까요. 이 회사의 애프터서비스를 담당하는 부서의 이름은 '고객 불만 센터'입니다. 이 회사의 제품을 구매해서 사용하던 고객이 전화할 일이 있게 되었다고 해보죠. 과연 고객은 어떤 생각을 할까요. '고객 불만 센터니까 불만에 집중해서 말해야지!'라고 다짐하지 않을까요. 문제에 집중해서 이름을 만든 부정적 결과입니다.

만약 이름을 '고객 불만 센터'가 아닌 '고객 행복 센터'로 바꾼다면 어떨까요? 행복이란 단어 앞에서 고객은 전화할 때도 다소 마음에 여유를 갖게 되지 않을까요. 우리의 말에서 문제라는 단어를 삭제해야 할 이유입니다. 굳이 부정적 단어로 우리 주변에 벽을 쌓아둘 이유는 없습니다.

부정적 용어 사용을 줄이고 여유와 긍정 그리고 행복의 말들로 가득 채워보세요. 긍정적 언어로 상대방에게 다가서는 연습을 늘 잊지 말고 해보시고요. 언젠가는 내가 아닌 상대방의 부정적 표현에도 긍정의 언어로 답할 수 있게 됩니다. 예를 들어 볼까요?

상대 : 이 프로젝트가 성공하려면 많은 문제가 있을 것 같은데요.

당신 : 맞습니다. 말씀대로 프로젝트가 성공하기 위해서는 협업을 위한 시간이 필요합니다.

상대 : 그렇군요. 그렇다면 협업에 있어서 방해 요소는 없을까요.

당신 : 협업이 원활하게 이루어지려면 지속적 모임이 필요합니다.

저는 여기서 상대의 단어 선택과 당신의 용어 선택을 비교해보라고 말씀드리고 싶습니다. 상대의 말에서는 어떤 단어가 보이는지요. 문제, 그리고 방해라는 단어가 보이는군요. 그렇다면 당신의 말에서는? 네, 그렇습니다. 성공과 원활이라는 단어입니다. 아무리 상대가 당신에게 문제를 나열하고 부정적 단어를 내세워도 당신이 말하는 긍정과 여유의 언어는 멀어지려는 상대방도 다시 당신의 품 안으로 돌아올 수 있게 만듭니다.

문제와 이슈로 가득한 커뮤니케이션 주제를 성공과 성취의 주제로 바꾼다는 것, 누군가에게 다가서고, 또 누군가가 다가오게 하기 위해서라도 꼭 필요한 대화의 기술일 겁니다. 그러니 이왕하게 되는 말이라면 긍정성과 적극성을 담은 용어를 선택해보세요. 참고로 비즈니스 커뮤니케이션에 능통한 분들이 특히 긍정의 언어를 통해 관계를 맺는 것에 익숙합니다. 이렇게 말이죠.

"여전히 잘 지내시죠?"
"다른 분은 몰라도 김 과장님이야 업계에서 인정받지 않나요?"
"이렇게 만나 뵙고 말씀드릴 기회를 주셔서 영광입니다"
"윗분께서 선생님만큼은 꼭 만나서 고견을 들으라고 했습니다."

특히 나이가 있을수록 지위가 높을수록, 강자일수록, 갑의 위치에 있을수록, 부정적 언어와 멀어져야 합니다. 문제가 아닌 성취에 초점을 두는 커뮤니케이션에 반드시 익숙해야 합니다. 온갖 불만과 불평으로 가득한 리더라고 보이는 걸 자랑스럽게 생각하지 말아야 합니다. 아니, 부끄럽게 여기고 반성해야 합니다.

부정적인 단어, 불평과 불만으로 가득한 단어, 함부로 상대방을 우습게 보는 단어를 입에 올리면서 그 잔인하고 거친 말에 기가 질려 조용한 구성원을 보고는 오히려 스스로 조직을 잘 이끌어가고 있는 것이라고 착각하지 않기를 바랍니다. 다음과 같은 말들을 하는 사람이 혹시 당신이 아니기를 바랍니다.

"내일 휴가? 갑자기? 집에 문제 있어요?"
"혹시 보고서에 문제가 될 만한 건 없나요?"
"그래서야 어떻게 다른 사람과 일을 하겠어요?"

이제 우리는 말투를 바꿔야 합니다.

"내일 휴가, 좋은 계획 있어요? 잘 다녀오세요."
"작성한 보고서에서 가장 내세우고 싶은 내용이 뭘까요?"
"다른 분들과 커뮤니케이션만 잘하면 성과도 빛이 날 겁니다."

문제가 아닌 성취에 집중해서 말하면 세상과의 거리가 가까워집니다. 긍정의 언어로 표현하는 것에 아낌이 없기를 권합니다. '단점이 없는 사람은 장점도 없다'라는 말도 있지 않습니까. 처음엔 어렵고 또 어색할지도 모르겠지만, 문제에 집중하는 대신 성취에 집중하는 말하기에 관심을 두는 당신이길 바랍니다.

길을 안다고 가보지 않는 사람과 실제 그 길을 간 사람의 차이는 엄청나다는 것을 기억해야 합니다. 가보지 않은 사람은 끝내 그 차이를 알 수가 없고, 가본 사람은 그 차이를 알기 때문입니다. 우리가 가야 할 길은 나와 다른 그 누군가에게 다가서기 위한 아름다운 길입니다. 그러니 어렵더라도 한번 용기를 내어 그 길을 걸어가 보는 것도 좋겠습니다. 편안하고 긍정적인 말 한마디, 이제 시작해보십시오.

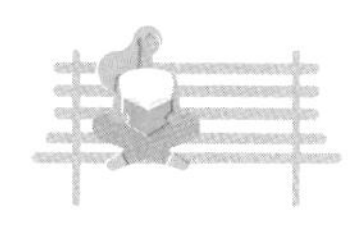

대화의 속도가 대화의 온도를 결정한다

성공이란 무엇일까요. 높은 지위에 오르는 것, 돈을 버는 것, 성과를 잘 내는 것…. 모두 성공을 설명하는 키워드로 적절합니다. 하지만 요즘 들어 나이가 들수록 누군가가 점점 저를 좋아하게 되는 것이 성공이 아닐까 하는 생각을 해봅니다. 최선은 부와 명예를 잘 쌓아가면서 사람들과 어울려 함께 잘 사는 것일 겁니다.

최선은 늘 어려운 법이지요. 그렇다면 무엇을 가장 최우선에 두어야 할까요. 그건 사람 아닐까요. 돈을 번다고 하더라도, 지위를 높인다고 하더라도, 지금 당장 성과를 낸다고 하더라도 주변 사람과 멀어진다면, 혹은 주변 사람에게 마음의 상처를 주고 있다면, 과연 부와 명예 그리고 성과의 성취에 편안함과 행복감을 느낄 수 있을까요.

저는 직장인으로서 오랜 시간을 보내왔습니다. 맡은 일도 늘 타사와의 경쟁이 심한 세일즈에 관한 것이었습니다. 정말 힘듭니다. 누군가를 알아가고, 그에게 제안하고, 그래서 결국 성과를 내는 건 만만한 일이 아닙니다. 당연합니다. 나와 다른 회사, 내가 재직 중인 회사와 다른 회사이기에, 즉 다름이 기본이기에 마지막 순간에 다음과 같은 이야기를 듣게 되는 경우가 흔합니다.

"협의 사항에 대해 다시 논의해야 할지도 모르겠습니다."

"어쩌면 우리 관계는 여기서 성과 없이 끝날지도 모르겠습니다."

"제안 내용에 빠진 부분이 있었는데 제가 몰랐네요. 도와주세요."

제안하고, 협의하고 그래서 결국 최종 계약 단계를 눈앞에 두고 상대방으로부터 이런 모호한 표현을 듣게 되면 울컥합니다. 그동안 에너지를 써가면서 시간을 버텼는데 마지막 순간에 결론에 대한 애매한 말을 들으니 화가 나는 거죠. 한때는 이런 상대방의 말에 "너무 하는 거 아니에요?", "알았어요! 됐습니다!"라고 관계를 쉽게 끊기도 했습니다. 철없을 때 치기 어린 말하기였죠.

지금은 이를 반성합니다. 상대방의 입장을 고려하지 않고 뱉었던 무모한 말을요. 과연 상대가 우리를 미워해서 이런 말을 했던 걸까요. 상대방 역시 이전에 했던 말을 갑작스레 말을 변경하는 건 힘든 일이었을 겁니다. 좋은 방향으로 생각해야 합니다. 상대방도 '또 다른 상대방', 즉 제3자에게 새로운 요구를 강요당하고 있을지도 모른다고 상상해보는 것이죠.

만약 그가 어느 회사의 과장이라면 그 상위 직급자인 부장으로부터 새로운 지시를 받았을 것 등으로 생각하면서 그 역시 스스로 해결할 수 없기에 당신에게 도움을 요청하는 것이라고 가능성을 열어두는 겁니다. 이때 위로와 격려의 말하기를 먼저 할 수 있어야 합니다. 다가서기 위해서, 더 편해지기 위해서, 그렇게 관계를 맺기 위해서라도 말입니다.

이런 상황을 마주하게 된다면 '왜'를 잘 활용해볼 것을 권합니다. '왜'는 다가서고, 마주하여 결국 관계를 맺는 말하기의 기술로서 괜찮은 해법이 됩니다. 참고로 '왜'에는 두 가지가 있습니다. "왜!"와 "왜?"입니다. 혼동되시나요? 다음의 사례에서 두 가지 '왜'를 한번 구별해보시죠.

#1

"도대체 왜 갑자기 문제가 되는 거죠?"

"왜요? 갑자기 말씀하시면 제가 어떻게 윗분들을 설득하나요?"

"이런 얘기하면 기분 나쁘실 텐데, 솔직히 이유를 모르겠습니다."

"더 이상의 요구는 인간적으로 너무하지 않나요?"

#2

"저런, 방해꾼이 생겼나 보군요. 괜찮습니다. 말씀해주세요."

"제가 힘이 되고 싶습니다. 필요한 부분을 말씀해주시면 고민하겠습니다."

"새로운 시작이 다가오는 것 같습니다. 좋습니다. 더 멋진 제안, 기다려주십시오."

우리는 '왜'를 구분해서 말해야 합니다. 결론부터 말씀드리면 "왜!"가 아닌 "왜?"로 대응해야 합니다. "왜!"는 상대방의 저항, 그 자체에 대한 부정적 반응의 표출이고, "왜?"는 상대방의 저항에 대해 배려의 관점에서 호기심을 나타내는 표현이기 때문입니다. "왜?"는 대화 내용 그 자체보다 상대방 관점에서 이해해보려는 이타적인 커뮤니케이션입니다.

상대방의 변덕, 혹은 부정과 저항에 대해 "왜!"를 말하면서 덤비려 하지 마십시오. 마음을 가라앉히고 일단 대화의 속도에 관심을 두세요. 당신과 상대방, 모두의 말이 점점 빨라지고 있다면 그것은 서로 설득하고 있는 게 아니라 서로 저항하는 상황임을 알아야 합니다. 그러니 잠시 '쉼'의 상황으로 서로를 이끌어야 합니다.

한 번 더 관찰하고 한 번 더 신중하게 생각했다면 이제 이야기를 건네십시오. 상대의 부정적인 말을 들은 우리지만 일단은 여유 있는 동의로 답을 시작해보세요. 다음의 말들처럼요.

"아, 그렇군요. 어려운 상황이신가 봅니다. 혹시 제가 그 어려움을 해결하는 것에 조금이라도 도움이 되는 방법이 없을까요?"

"고비네요. 계약이 성사되기 위한 당연한 과정이라고 생각합니다. 일단 오늘은 필요한 내용을 말씀해주십시오. 말씀하신 것을 토대로 정리하여 이번 주에 찾아뵙고 제안하도록 하겠습니다."

"공식적인 절차를 지키느라 힘드시겠어요. 혹시 예외적으로 추진한 사례는 없을까요. 말씀해주시면 제가 내용을 보완하여 더 나은 정보 제공하도록 하겠습니다."

"실패는 우리가 실패에 어떻게 대처하는가에 따라 정의된다." 미국의 방송인 오프라 윈프리의 말입니다. 지금 눈앞에 다가온 실패의 신호는 더 높은 곳으로 향하기 위해 벽처럼 놓여 있는 성공의 사전적 신호일지도 모릅니다. 마지막 저항은 최종 승리를 위해 누구나 거치는 과정이니까요. 이러한 때일수록 더욱 상대방을 보려고 애쓰십시오. 편견에 갇혀 무작정 부정적인 생각으로 상대방을 대해선 안 됩니다.

상대방을 볼 수 있어야 저항에 대응할 수 있습니다. 보지 않고는 말할 수 없는 법이죠. 보통은 자신의 말에만 관심을 두고 상대의 생각에는 별다른 고민을 안 하는데, 아는 만큼 보이는 법입니다. 상대방을 잘 관찰하지 못해서 오해하고 결국 대화에 실패하고 있는 건 아닌지 확인해야 합니다. 상대방을 있는 그대로 바라볼 수 없는 우리 자신의 수준 낮은 눈을 먼저 탓해야 합니다.

말하기를 잠시 쉼의 상태로 전환한 후에 '왜!'가 아닌 '왜?'를 적절히 활용하면서 상대방의 입장을 관찰하고 나서 비로소 말을 건넨다면 우리의 관계는 한결 여유롭지 않을까요. 다 된 줄 알았는데 뭔가 삐걱거린다고 "지금 여기서 이러시면 어떻게 합니까. 도대체 왜요!"라고 말하는 성급함은 이제 그만하고 이렇게 말하면서 상대방과 우리의 관계를 좁힐 수 있기를 바랍니다.

"어려우시죠. 하지만 걱정하지 마십시오. 제가 잘 도와드리겠습니다. 왜 문제가 된 것인지 말씀해주시면 제가 할 수 있는 것을 찾아보겠습니다."

충고를 요청하면 싫어할 사람이 없다

카레이싱 선수이자 감독으로 살아온 어떤 분께서 "승부는 직선 주로가 아닌 곡선 주로에서 난다"라고 말했습니다. "차들의 성능이 비슷하므로 직선 주로에선 추월하기가 어렵습니다. 앞차를 따라잡으려면 곡선 주로를 활용해야죠." 직선 주로에서는 실력이 아닌 엔진 싸움일 뿐이기에, 1등을 따라잡으려 하는 2등에게는 코너를 앞두고 1등이 브레이크를 잡는 그 순간만이 기회라는 것이었습니다.

비슷한 말을 들어본 적이 있습니다. 운전을 정말 잘하는 사람은 후진을 잘하는 사람이라는 것이죠. 아무리 차가 좋아도, 아무리 속도를 낼 줄 알아도 결국 운전을 가장 잘하는 사람은 적절한 시간과 공간에서 후진을 여유롭게, 그리고 정확하게 해내는 사람이라는 것이었습니다. 사실 여부를 떠나 이 말에 적극 공감한 적이 있습니다.

"승부는 직선 주로가 아닌 곡선 주로에서 난다" 그리고 "운전을 잘하는 사람은 후진을 잘하는 사람이다"라는 말을 들으며 우리의 말하기를 돌아봅니다. 1980년대 중국은 '도광양회韜光養晦'라는 대외 정책을 내세웠습니다. 이 말은 자신의 재능이나 명성을 드러내지 않고 참고 기다린다는 뜻인데, 상대방을 향해 무엇인가를 내뱉고 그것을 힘 혹은 권력이라고 생각하려는 우리에게 경고하는 듯합니다.

누군가에게 선의라고 생각해서 하는 말이 있습니다. 바로 충고입니다. 충고는 '남의 결함이나 잘못을 진심으로 타이름'이란 뜻을 지닌 단어입니다. 이 단어의 핵심은 '충忠', '진심'에 있습니다. 하지만 우리의 충고 대부분은 결함, 잘못, 그리고 타이름에 더 집중합니다. 이는 결국 누군가에게 진심이 담긴 마음을 전하기보다는 타이르고, 지적하며, 결함을 파헤치는 말로, 상대에게 상처로 남게 됩니다. 가까워지고 싶어서 도움을 주고 싶어서 하는 충고인데, 결국 아무런 도움이 안 되는 불필요하고 불쾌한 '립서비스'에 불과하게 되는 것이죠. 실제로 충고라는 말로 상대방에 대한 최소한의 관심이나 고민과는 전혀 무관한, 오로지 자신이 우월하고 안전한 상황에 있을 때 건네는, 심하게 말하면 '트래시 토크trash talk'

를 하고 있지 않은지 돌아봐야 합니다.

누군가의 원한을 사고 싶다면 충고를 아끼지 마세요. 예외는 없습니다. 그러니 이제 충고하지 마십시오. 이것이 누군가에게 한 발이라도 더 다가설 수 있는 길입니다. 이렇게 어려운 충고라니, 그렇다면 충고라는 것 자체를 무시하고, 하지 말아야 할까요.

여기에서 역발상이 필요합니다. 충고하려는 사람은 세상에 넘치고 넘치니 이와 반대의 포지션으로 자신의 위치를 만드는 겁니다. 무슨 말이냐고요? '충고하려는 자'가 아닌 '충고를 요청하는 자'가 되라는 말입니다. 내가 부족한 점이 무엇인지 상대방에게 겸손하게 묻는 일종의 '자기 낮춤의 기술', 이것이야말로 나와 다른 상대방에게 다가설 수 있는 강력한 대화의 무기가 됩니다. 어쩔 수 없이 존재할 수밖에 없는 나와 상대방의 견해 차이를 좁히는 대화의 기술이기도 하고요.

대화의 상대방에게 자신의 부족함이 무엇인지를 물어보는 것, 다시 말해 상대에 충고를 요청하는 것은 상대방이 나에게 다가설 수 있도록 만드는 방법이자, 반대로 내가 상대방에게 쉽게 다가서게 하는 방법입니다. 예를 들어볼까요?

"편하게 말씀해주세요. 제가 뭐가 부족한지 알고 싶습니다."

"저의 성장을 도와주십시오. 무엇에 좀 더 힘써야 할까요."

"몇 가지만 말씀해주세요. 제가 서툰 부분에 대해서요."

이런 말을 듣는 상대방의 입장이라면 과연 어떤 마음이 들까요. 하나라도 더 진심으로 가르쳐주고 싶지 않을까요. 『채근담菜根譚』에는 "귀에 거슬리는 말이라도 항상 들을 줄 알고, 마음에 맞지 않는 일이라도 항상 간직한다면, 이것이 덕을 높이고 행동을 닦는 숫돌이 될 것이다"라는 문장이 있습니다. 이 문장에서 '귀에 거슬리는 말이라도 항상 들을 줄 알고'라는 대목을 기억하면 어떨까 합니다.

나를 낮춘다는 것은 사실 귀에 거슬리는 말을 잘 듣겠다는 것과 같습니다. 쉽지 않은 일입니다. 하지만 용기를 내어 자신의 부족함에 대한 상대의 평가를 요청하고 감사하게 받아들이는 태도를 갖춘다면 자신의 대화 수준을 높이는 건 물론, 상대방과의 관계도 한층 더 가깝게 만드는 지름길에 들어서게 합니다.

마하트마 간디는 "있는 그대로의 견해 차이는 진보를 위한 건강한 신호다"라고 말했습니다. 그렇습니다. 어차피 우리는 남과 다른 존재입니다. 다르기에 생각도 다릅니다. 다르기에 차이가 생기고, 그 차이를 극복하기 위해 개선점이 생기는 것이죠. "다르니까 틀리다"라고 말하기보다는 "다르기에 내가 발전할 수 있다"라고 생각하는 우리가 되기를 바랍니다.

얼리지 말고 녹여야 대화가 풀린다

다가선다는 건 상대방을 깨는 게 아니라 녹이는 것 아닐까요. 부모가 아이의 잘못을 지적할 때 하나하나 깨면서 말하는 일방적인 훈육이 멀어짐의 대화라고 한다면, 아이의 감정을 읽으려 노력하면서 조심스럽게 이야기를 꺼내는 상대의 마음을 녹이는 대화는 다가섬의 대화가 될 것 같습니다.

물론 깨는 게 쉽습니다. 왜 상대방을, 상대의 마음을 깨려고 할까요. 내 마음대로 되지 않아서일 겁니다. 하지만 "당나귀와 주인은 각기 생각이 다르다"라는 말이 있지 않던가요. 주인이라고 해서 자기 생각만 고집해서는 당나귀를 자신이 원하는 방향으로 이끌 수는 없을 겁니다. 그러니 깨고 때리고 상처 주는 말을 하면서 상대방과 가까워지겠다는 망상은 버리는 게 옳습니다.

특히 말의 양보다 말의 질을 고민해야 합니다. 말이 많으면 실수도 잦게 마련입니다. 말이란 신기해서 한 문장, 한 단어가 상대의 마음을 헤집어 놓습니다. 이미 마음이 상처받은 상대방이 우리와 거리를 가까이할 까닭도 없는 것이고요. 우리의 말이 관계의 개선으로 이어지기 위해서는 관심을 통해 상대를 알려고 하고, 결국 상대를 존중한 후에 비로소 말해야 합니다.

'양보다 질'이라는 말을 떠올리니 생각나는 게 있습니다. 비라는 말을 떠올리면 어느 계절이 생각나시나요. 저는 한여름의 장맛비가 떠오릅니다. 하늘이 뚫어진 것처럼 내리는 장맛비는 제가 생각하는 비다운 비입니다. 하지만 옛날 사람은 그렇게 생각하지 않았나 봅니다. 양에 초점이 아니라, 실제로 비가 어떤 쓰임새가 있는지 비의 질에 관심을 두었던 것이죠.

실제로 봄, 여름, 가을, 겨울을 순환하는 우리의 24절기 중에 비를 뜻하는 한자어 '우雨'가 들어간 절기는 여름비와는 달리, 그리 많이 내리지 않는 봄비가 내리는 시기인 우수와 곡우 이 두 절기뿐입니다. 한여름 비가 한참 내리는 절기들에선 '우雨'자를 찾아보기 힘듭니다. 왜일까요. 양으로 승부를 내려는 여름의 비보다 겨우내 얼었던 땅을 녹이는 봄비의 질에 더 가중치를 둔 게 아닐까 합니다.

다시 세상을 향한 우리의 말 한마디를 돌이켜봅니다. 우리는 그동안 말을 많이 하면 상대방의 마음을 쉽게 얻을 거라는 순진한 발상에 사로잡혀 있었습니다. 물론 '양질전환良質轉換의 법칙'이라는 말도 있긴 합니다. 양이 많아지면 결국 질로 승화된다는 뜻이죠. 하지만 그것도 최소한 때, 즉 시기가 있는 법입니다. 거기에 이미 내뱉어진 말의 파급력을 고려해야 합니다.

우리의 입에서 나오는 말이 생명력을 갖고 상대방과 따뜻한 감정의 순환을 일으키는 시작이 되게 하려면, 우리에게 필요한 것은 얼어붙은 분위기를 깰 수 있는 화제로 말한다는 의미의 '아이스브레이킹ice-breaking'이 아닙니다.

상대방은 사람입니다. 사람은 '깸'의 대상이 되어서는 안 됩니다. '녹임'의 대상이 되어야 하는 것입니다. '아이스브레이킹'이라는 말을 흔하게 사용하는데 '브레이킹breaking', 즉 '깬다'라는 의미에 파묻혀 말실수하는 걸 두려워해야 합니다. 다가서고, 마주하며 결국 관계를 맺게 만드는 우리의 말하기를 위해 필요한 건 우수와 곡우 무렵의 봄비가 얼어붙은 땅을 조금씩 녹여나가는 듯 부드러운 '아이스멜팅ice-melting'이어야 합니다.

'깸'이 아닌 '녹임', 이를 염두에 두고 사례를 들어봅니다. 당신이 직장인이라고 해볼까요. 협력업체에 방문합니다. 낯선 사무실에 방문해서 아직은 친숙한 관계가 아닌 협력업체 담당자와 대화를 합니다. 이때 아이스브레이킹을 한다고 "주식 하세요? 오늘 완전 엉망이죠?", "어제 프리미어리그 축구 보셨어요? 어, 축구 안 좋아하세요?"와 같은 쓸데없고 무의미한 말로 상대를 대하려 해서는 곤란합니다. 아이스멜팅에 익숙한 우리라면 이렇게 말할 수 있어야 합니다.

"게시판을 보니 이번 신상품 캠페인에 적극적인가 봅니다."

"사무실이 쾌적합니다. 저쪽에 있는 건, 안마의자인가요?"

상대방에 대한, 상대방이 있는 장소에 대한 약간의 관심만으로도 얼마든지 이런 의미 있는 대화가 가능합니다. 이런 말은 또 어떻습니까.

"급하게 오신 걸 보니 회의 중이셨군요. 핵심만 말씀드릴게요."

상대에 대한 관심을 넘어 상대방을 배려하는 태도까지 보여준다면 우리의 말하기는 한층 더 상대방에게 다가서는 도구로 작용할 것입니다. 어렵지 않습니다. 주식이나 연예인 이야기로 상대방의 소중한 시간을 낭비하는 것보다는 상대방 사무실에 들어서면서 관심 있게 실내를 둘러보는 것으로도 얼마든지 상대방과 편안하게 이야기를 이어 나갈 수도 있습니다. 또 상대에게 받은 명함 하나만으로도 충분합니다.

"저도 영업사원이지만, 영업팀장님으로서 영업사원들 관리하는 게 보통 힘들지 않으시겠어요."

"아, 회사에서 이 브랜드를 맡고 계시는군요. 저도 이 제품을 사용 중입니다."

"산업안전기사 자격증이 있으신가요? 저도 관심이 많습니다."

이렇게 권하는 저 역시 예전에는 상대방에게 다가서는 아이스멜팅이 서툴렀습니다. 그저 저 자신의 관점에서 말하는 것에 익숙했을 뿐 상대의 시각에서 작은 실마리 하나를 찾는 것에는 게을렀습니다. 상대방이 다가서기 쉽기는커녕 멀어지기만 한다는 걸 알아채지 못했고요. 우리의 말은 나의 흥미가 아닌 상대방의 관심에 초점을 두어야 한다는 걸 몰랐던 것이죠.

상대방의 얼음장 같은 마음을 녹인다고 격에 어울리지 않는 공허한 말로 대화를 시작하지 마세요. 상대가 한마디라도 더 자신의 이야기를 풀어놓을 수 있도록 환경을 조성하는 게 그 무엇보다도 우선되어야 합니다. 나 중심의 말로 상대방과의 소통을 막는 실패한 대화, 즉 '닫힌 대화'가 아닌 상대방의 생각을 고려한 '열린 대화'가 되는 게 맞습니다.

상대방이 현재 어떤 상황에 있는지 잘 관찰하고 그것을 통해 느낀 점을 적절히 던지는 것, 반복해서 말씀드려서 지겨울 수도 있겠으나 그래도 다시 말씀드리는 이유는 그만큼 관찰이 다가서는 말하기에서 중요하기 때문입니다. 이런저런 말씀을 드렸는데, 요약하면 다음의 세 가지가 아닐까 합니다. 기억해두시면 어떨까요.

첫째, 나의 상황을 말하는 데 열중하지 않는다.
둘째, 상대방의 주변을 관심 있게 살핀다.
셋째, 관찰한 것을 토대로 말을 건넨다.

다가서려는데 뒷걸음치는 상대방의 모습이 얼핏 보였다면, 이 세 가지를 상황 속에서 늘 점검해보세요. 좋은 결과가 있으리라 기대합니다.

겸손이 지나치면 호구가 된다

스펙이란 말, 어떻게 생각하시는지요. 스펙이란 말은 '어느 한 사람을 성격 등의 내면적인 모습으로 평가하는 게 아니라 학력, 영어점수 등 밖에 보이는 모습으로 평가함'이란 뜻을 가지고 있습니다. 기업 취직 등에 있어 중요한 요소죠. 최근에는 스펙을 배제한 인재 채용이 유행하고 있긴 하지만, 글쎄요. 어쨌거나 이런 움직임은 스펙 그 자체만을 보고 사람을 뽑는 데서 오는 한계점을 인식했기 때문이라고 생각합니다.

그렇다면 스펙은 불필요한 것일까요. 저는 그렇게 생각하지 않습니다. 스펙을 내면이 아닌 외면에 대한 평가라고 넓게 본다면, 스펙이야말로 급하게 흘러가는 지금 세상에서 상대방에게 빠르게 자신을 어필하는 무기가 됩니다. 그러니 할 수 있는 한 최고의 스펙을 만들어내는 건 우리가 해야 할 당연한 과정입니다. 세상과 관계를 맺는 첫 번째 사슬을 푸는 역할을 하는 게 스펙이 될 수 있으니까요.

스펙은 직장에 들어갈 때만 필요할까요. 아닙니다. 예를 들어 볼까요. 비즈니스 커뮤니케이션을 하는 경우 우리의 스펙은 더욱 중요해집니다. 이유는? 상대방으로부터 신뢰를 쉽게 얻기 때문입니다. 자기를 드러내는 것, 그러니까 자기소개는 취직이나 입사를 위한 면접에서만 필요한 게 아니라 비즈니스를 만들고 또 완성하는 과정에도 마찬가지로 절대적입니다. 물론 말로 진행되는 것이 대부분이죠. 그렇다면 나를 소개하는 말하기의 방식은 어떠해야 할까요. 원칙은 하나입니다.

'자기 자신을 누추하게 보이게 하지 말 것'

겸손과 자기비하를 구별해야 합니다. 자신의 무능력함을 굳이 알릴 이유는 없습니다. 나의 화려함을 알려야 합니다. 왜요? 상대방의 신뢰를 얻기 위해서입니다. 세상 그 어떤 커뮤니케이션에서도 '그저 그런' 사람과 커뮤니케이션을 진행하기를 원하는 사람은 없습니다. 가능하면 자신의 커뮤니케이션 상대가 최고의 능력자이기를 바랍니다.

예를 들어볼까요. 당신은 한 기업의 제휴 담당자입니다. 당신 회사와 제휴를 맺고자 하는 한 기업의 담당자가 당신을 찾아왔습니다. 그의 제안을 보니 꽤 괜찮습니다. 제안서를 읽고 미팅을 진행합니다. 이제 성사 단계에 이릅니다. 하지만 마지막으로 확인할 사항이 생겼습니다. 그에게 그 확인 사항을 문의하고 답을 달라고 합니다. 그때 그가 다음과 같이 대답합니다.

#1
"저요? 이건 제 권한이 아니라서…. 사실 제가 회사에서 힘이 없습니다. 죄송해요."

#2
"나름대로 제가 힘이 있습니다. 제가 안 되면 그 누구도 힘듭니다. 내부 설득 진행하겠습니다."

전자와 같이 말하는 사람이 어떻게 해서 당신의 마지막 제안을 받아들였다고 해보죠. 지금은 일단 비즈니스를 진행하겠지만 앞으로 계속 만나고 싶지는 않을 겁니다. 후자와 같이 말하는 사람이라면? 설령 당신의 마지막 제안에 대해 성공적으로 일을 끝내지 못했다고 하더라도 다음에 다시 일하고 싶을 겁니다. 한 걸음 다가서는 말하기인 셈입니다.

'자신을 알리는 것', 커뮤니케이션 초기부터 진행되어야 할 키워드입니다. 상대를 사로잡는, 상대에게 다가서는 첫인상, 이것만큼은 제대로 하는 게 맞습니다. 잘난 척을 하라는 말은 아닙니다. 다만 지나친 겸손 혹은 자기비하는 결국 자신의 가치를 스스로 깎아 먹어 상대방을 멀어지게 한다는 점은 기억하자는 겁니다. 자기소개를 통해 상대방에게 멀어지기보다는 가까워지는 게 낫지 않겠습니까. 조금 더 나아가 볼까요. 자신을 누군가에게 알릴 때 앞으로 다음의 세 가지를 염두에 두세요.

첫째, 내가 커뮤니케이션의 파트너로 존재하는 이유에 대한 설명을 잘해야 합니다. "그냥 어쩌다 보니 제가 이 프로젝트를 수행하게 된 거죠", "솔직히 제가 이 일은 해본 적이 없습니다. 위에서 하라고 해서 하긴 하는 건데…."

이런 말을 듣고 상대방은 어떻게 생각할까요. 우습게 여기지 않을까요. 저라면 이렇게 말하겠습니다. "제가 이 프로젝트를 자원해서 한다고 했습니다. 꼭 잘해보고 싶은 마음이 있어서죠!" "우리 회사에서 저 말고 누가 이 프로젝트를 잘할 수 있겠습니까?" 자신감 있는 표현을 통해 상대방의 신뢰를 얻기를 바랍니다.

둘째, 비즈니스 환경이라면 내가 조직에서 어떤 위치에 있는지를 긍정적으로 설명해주면 좋습니다. 이왕이면 조직 내에서 나름대로 힘을 갖고 있다고 말하는 게 낫습니다. "이번 프로젝트 담당 부서와 평소에도 의사소통이 잘 되어 많은 도움을 받을 수 있습니다." "우리 팀 구성원들이 이번 프로젝트를 위해 굳은 결의를 하고 있습니다." 이런 사람이라면 믿고 또 신뢰할 수 있지 않을까요.

셋째, 조직에서 자신이 이루고자 하는 방향, 즉 미래의 비전을 말하는 것도 좋습니다. "저요? 우리 회사에서 이 분야의 임원까지는 할 겁니다." "다른 건 몰라도 이 비즈니스에 관한 한 언젠가 대한민국 최고의 전문가가 되려고 노력 중입니다."

어떤가요? 없던 신뢰가 생기지 않을까요? "에이, 그냥 월급 주니까 회사 다니는 거죠"라고 말하는 사람과는 다르게 보겠죠?

상대방이 우리에게 갖게 되는 신뢰는 일의 진행 과정에서 '저절로' 만들어지기도 하지만, 어느 정도는 스스로 설계해야 하는 측면도 있습니다. 겸손한 건 좋지만 그렇다고 해서 무작정의 낮춤을 조심해야 하는 이유입니다. 나폴레옹의 말입니다. "기회가 없다면 능력이란 쓸모가 없다." 그렇습니다. 일단 기회를 만들어야 하며 그 기회는 적절하게 표현하는 나의 화려함에서 비롯됩니다.

누추하게 보이지 마십시오. 자기를 우습게 여기는 사람은 상대방에게도 우스운 사람이 되기 쉽습니다. 남을 억누르고 통치하기 위해서 자신을 귀하게 보자는 게 아닙니다. 자기 자신을 성장시키는 자기 배려의 측면에서 스스로 귀하게 여기자는 겁니다. 나를 귀하게 하는 말하기가 상대방과의 거리를 좁힙니다.

다가서기의 최종 단계, 기다림

단언컨대! 지혜를 얻는 최고의 지름길이 있습니다. 경청입니다. "말함은 지식의 영역이지만 들음은 지혜의 영역이다"라는 말이 있더군요. 어떻게 생각하면 세상 모든 사람은 듣기의 중요성을 이미 잘 알고 있습니다. 하지만 우리 주변에는, 아니 나 자신부터 듣기, 경청을 잘 해내는 사람은 보기 힘듭니다. 듣기, 왜 그토록 어려운 걸까요.

여기서 질문해봅니다. 말하기의 반대는 무엇일까요. 듣기라고요? 아닙니다. 기다림입니다. 즉 말과 듣기 사이에는 기다림이라는 대화 당사자의 마음가짐이 있어야 합니다. 상대방의 마음을 얻기 위해서는 상대방의 말을 들어야 하는데, 듣기 위해서는 기다려야 합니다. 그리고 그 기다림이라는 게 내 마음을 비워야 비로소 가능한 것이기에 어려운 겁니다.

역설적으로 이렇게 듣기를 할 줄 아는 사람이 되는 게 어려우니 비우고, 기다리며, 들을 줄 안다면 우리는 세상 그 누구에게도 잘 다가설 수 있는 준비가 된 사람으로 환영받을 겁니다. 다가선다는 건 말을 내뱉는 게 아니라 귀로 들어주는 것이라는 것! 기억해야 할 대화의 기본자세입니다. 이를 잘 새겨두지 않으면 누군가를 향한 그 어떤 달콤한 말도 아무런 효과를 발휘하지 못합니다.

누군가를 격려하고 지지하고 위로해줄 때도 마찬가지입니다. 격려와 지지, 그리고 포용의 말을 잘해놓고는 괜한 말을 덧붙여서 대화 전체를 엉망으로 만드는 경우가 흔합니다. 대화에 있어선 '하는 것'보다 '하지 않는 것'의 위대함을 알아야 할 이유입니다. 상대방에 대한 깊은 관심을 잘 말해놓고서도 뭔가 한 발 더 남은 것 아닌가 하는 불안감에서 덧붙인 한마디가 관계를 서먹하게 만드는 거죠. 어떤 회사의 두 사람 대화를 잠깐 살펴보겠습니다.

김 대리 : 팀장님께 제출한 보고서입니다. 필요하시다고 해서요.

박 과장 : 아, 역시 김 대리네! 정말 잘 정리했는데?

김 대리 : 박 과장님 덕분이죠, 뭐. 하하하.

박 과장 : 그래? 마침 나도 팀장님께 보고할 게 있는데, 보내줄 테니 고쳐줄래?

김 대리 : 네?

박 과장 : 급해서 그래. 내일모레까지 가능하겠지?

김 대리 : ….

박 과장의 말은 격려도 지지도 아닙니다. 그냥 '땡깡'일 뿐이죠. 앞으로 김 대리가 박 과장에게 편하게 다가설 수 있을까요. 박 과장의 입에서 무슨 말이 나올지 모르는데 어떻게 편하게 이야기를 나누겠습니까. 박 과장 주변에 사람이 없는 이유는 상대방의 호의를 권리로 받아들이는 건 물론 그것을 넘어 무례한 부탁으로 대하기 때문일 겁니다. 그런데 박 과장은 과연 자신의 무례함을 스스로 깨닫고는 있는 걸까요. 여기에서 상대방에 잘 다가서려는 우리가 기억해야 할 대화의 기술 한 가지가 또 도출됩니다. 그건 원하는 것이 있어도 원하는 것이 없는 것처럼 말을 할 수 있어야 제대로 된 말이라는 것입니다. 격려는 격려로 끝나야 합니다. 칭찬도 마찬가지고요. 모든 범죄는 가해자와 피해자 중 일단 피해자의 관점에서 확인되어야 하는 것과 같이 대화도 듣는 사람의 관점에서 평가받아야 합니다.

"이기주의란 내가 원하는 대로 사는 것이 아니라 타인에게 내가 원하는 방식으로 살라고 요구하는 것이다"라는 오스카 와일드의 말처럼 상대방에게 다가서고자 하는 우리의 말 역시 내가 원하는 방식으로 살라고 요구하는 말이어서는 이기주의 대화에 불과할 수밖에 없습니다. 이기주의로 가득찬 말에 미소를 지으며 환대할 사람은 없습니다.

하나 더, 상대방에게 좋은 말과 나쁜 말을 함께해야 할, 어쩔 수 없는 경우라면 칭찬하고 지적하는 순서가 아닌, 지적하고 칭찬하는 순서로 하시길 바랍니다. 예를 들어볼까요.

상사 : 이번 세미나, 정말 진행이 매끄러웠어. 자료집도 만족스럽고.

부하 : 감사합니다.

상사 : 휴식 시간의 활용도 좋았어. 간식도 맛있고 넉넉하게 준비해서 모두 좋아하던데.

부하 : 많은 분의 도움이 있었습니다.

상사 : 그런데 말이지….

부하 : 네?

상사 : 회의실에서 나는 냄새가 조금 별로였어.

부하 : 아, 네. 장마철이라 습기가 차서 그랬나 봅니다.

상사 : 내 말이. 미리 확인 좀 하지 그랬어. 여기 와보지도 않았나?

부하 : ….

이쯤 되면 싸우자는 것이 되겠죠. 물론 부하직원이 대들기도 어려우니 일방적으로 당한 상황이 되어버린 것일 테고요. 상사가 대화의 시작 즈음에 한 칭찬은 모두 사라져버린 추억이 되었습니다. 부하직원은 상사로부터 지적받은 것에 대해서만 불쾌감으로 기억에 남겨둘 테고요. 웃긴 건 이 상황을 두고 상사는 자신이 부하직원을 나름대로 칭찬했다고 생각하는 겁니다. 답답하죠?

"누군가의 인생에 근본적인 변화를 일으키는 것보다 더 큰 기쁨이나 보상은 없다"라는 말이 있습니다. 여기에서 '근본적인 변화'는 당연히 긍정적 방향으로의 변화를 말합니다. 이왕이면 좋은 말로 해야 합니다. 이때 좋은 말을 해놓고 엉뚱한 말을 더 하면 안 됩니다. 하지 않는 것만도 못한 말이 되어버립니다. 부처님의 말씀 가운데 '보왕삼매경寶王三昧經'이란 게 있습니다. 여기의 한 구절입니다.

施德不求望報 德望報則意有所圖

시덕불구망보 덕망보즉의유소도

'덕을 베풀 때는 보답을 바라지 말라. 덕을 베풀고 그에 대해 보답을 바라게 되면 무엇인가 욕망이 생기게 마련이고, 욕망이 있게 되면 반드시 그 이상의 명예를 누리려 하게 된다'라는 말입니다. 우리의 말하기도 마찬가지입니다. 좋은 말로 끝내야 합니다. 거기에 괜한 자신의 아쉬움, 요구사항을 담는 순간 상대방이 우리의 말을 받아들이는 몸짓은 멈칫할 수밖에 없습니다.

다가서고 싶을수록 무엇인가를 바라는 욕망을 드러내지 마십시오. 멈출 수 있을 때 멈추어야 합니다. 한 걸음 더 나아간다고 좋아지는 것은 아무것도 없으니까요. 멈추었으면? 기다릴 줄 알면 됩니다. 상대방이 다가올 때까지.

2장

마주하기

마음의 거리를
적절하게 유지하기 위한 말 연습

긍정의 언어가 입에서 나오기 시작하는 순간, 우리 주위의 것들은 '신기하게도' 우리의 성공을 위해 도와주려고 달려듭니다. 성공하는 우리를 향해 사람들도 다가오게 되는 것이고요. 말 한마디로 타인과의 거리를 좁히고 결국 우리가 원하는 것을 얻을 수 있도록 노력해 보는 것은 어떨까요.

나를 성장시키는 예쁜 말

중견기업에서 임원으로 재직하는 분으로부터 이런 말을 들었습니다. 세상에서 가장 듣기 싫은 말이 두 가지가 있는데, 그건 "그게 아니고요"와 "네?"랍니다. 혹시 직장인이신지요. 어떠세요. 윗분에게 이런 말을 한 적이 있으신지요. 이런 말들과 친하셨다면 이제 결별을 마음속으로 선언하세요. '세상에서 가장 듣기 싫은 말'을 하면서 상대방과 멀어질 이유는 없으니까요.

그래도 한편으론 궁금합니다. 아닌 걸 아니라고 하고, 뭔가 어색해서 반문하는 것인데 왜 그걸 듣는 사람은 그토록 싫어하는지 말입니다. 그 이유는 그런 말들이 듣는 사람에겐 변명 혹은 반항으로 들리기 때문이랍니다. 알고 보니 변명과 반항의 말을 여유롭게 들어줄 만큼 한가한 사람은 없더군요. 그러니 이제 우리의 말에 긍정이라는 데코레이션을 고민해보면 어떨까 합니다.

부정적인 말을 자제하고 긍정의 언어로 자신을 감싸야 하는 또 다른 이유가 있습니다. 긍정적이지 못한 말은 상대방에겐 불쾌감을 주지만 더 중요한 건 자신의 성장에 해로움으로 작용하기 때문입니다. 타인에 저항하려다 자신의 성장을 가로막는 건 자해행위에 지나지 않습니다. 그러니 다른 사람에게 잘 보이려는 말하기를 택한다고 생각하지 마세요. 자기 성장을 위한 거라고 여기세요.

물론 수십 년간 입에 붙은 습관이 갑자기 사라질 리는 없습니다. 말하기에 훈련이 필요한 이유입니다. 환경이 팍팍하더라도 방어적이기보다는 능동적인 모습을 억지로라도 보여주려는 연습을 해봐야 합니다. 필요하다면 긍정적인 혼잣말을 하면서 일종의 최면처럼 자신을 격려하는 것도 괜찮습니다. 언젠가 한 프로 골퍼가 자신의 비결을 이렇게 말하는 걸 들었습니다. "티샷 실패 후 다음 장소로 이동할 때 '임팩트가 약했어. 절대 두 번째 샷에서 실수하지 말아야지'라고 생각하지 않습니다. 오히려 이렇게 생각하죠. '날씨도 좋고, 경치도 좋네. 맞다. 두 번째 샷, 어디로 보내지?' 그게 저의 성공적인 굿 샷의 비결입니다."

"아니다, 아니다"라고 말하는 그 순간부터 원래 충분히 될 것도 되지 않습니다. 오던 행운도 사라지고, 그로 인해 우리의 성장도 멈춥니다.

이제 우리가 선택해야 할 차례입니다. 다음 중에서 말입니다.

"프로젝트에 실패하지 말아야지!"
"프로젝트에 성공해서 포상을 받아야지!"

당연히 후자를 선택했으리라 믿습니다. 긍정의 언어가 입에서 나오기 시작하는 순간 우리 주위의 것들은 '신기하게도' 우리의 성공을 위해 도와주려고 달려듭니다. 성공하는 우리를 향해 사람들도 다가오게 되는 것이고요. 말 한마디로 타인과 거리를 좁히고 우리가 원하는 것을 얻을 수 있도록 노력해보는 것은 어떨까요.

하나의 사례를 더 볼까요. 당신은 어느 회사의 임원입니다. 경력사원을 뽑기 위해 면접장에 들어가게 되었습니다. 지원자에게 이전 회사를 그만 둔 이유를 다음과 같이 들었다고 해볼까요.

"상사의 부정행위를 도저히 참을 수가 없었습니다. 조직 분위기가 더러워서 저 역시 일이 손에 잡히지 않았습니다. 물론 저는 최선을 다해서 일했고, 성과도 탁월했다고 자부합니다."
"이전 회사는 어려운 환경에서도 제가 성장하는데 기회를 준 고마운 곳입니다. 보다 도전적이고 실질적인 일을 해보고자 그만두게 되었습니다."

이번엔 쉽죠? 두 번째 지원자의 말을 택하셨을 테죠. 너무 당연한 선택입니다. 그동안 자신이 재직하던 회사에 대해 아끼고 사랑하는 마음을 간직하고 있는, 아니 표현하는 사람이 결국 승리자가 됩니다. 누워서 자기 얼굴에 침 뱉고는 다른 사람이 좋게 봐줬으면 하는 건, 착각입니다.

이제 다음에 제시하는, '최악의 순간을 최고의 순간으로 만드는 말하기'를 확인해보세요. 일상에서 부정의 언어를 멀리하고 긍정의 언어로 세상과 마주하려는 당신에게 도움이 될 것입니다.

최악의 말(부정의 말)

- 말이 너무 많구나.
- 뭘 그리 쫀쫀하게 구는 거야?
- 너무 냉정한 거 같아.
- 왜 이렇게 겁이 많은 거야.
- 그게 아니고요.

최고의 말(긍정의 말)

- 어쩌면 그렇게 표현을 다양하게 하니.
- 세심한 데까지 신경을 쓰는구나.
- 맺고 끊는 게 확실한데!
- 조심성이 있구나.
- 아, 제가 생각하지 못했습니다.
  덕분에 바로 잡을 수 있게 되었습니다.

옳음이 아닌 친절을 택하세요

한국 배우 최초로 아카데미상을 수상한 윤여정 배우, 이분의 친절한 말 한마디를 TV 예능에서 발견한 적이 있습니다. 아카데미 시상식 다음 날 가수인 에릭남과 그의 동생을 만난 윤여정의 모습이 그것인데요. 에릭남과 그의 동생은 윤여정의 둘째 아들과 오랜 친구 사이였다고 합니다.

1998년생인 에릭남은 미국에서 태어나 2011년에 한국에 처음 오게 됩니다. 그때 윤여정 배우를 인터뷰하게 됩니다. 에릭남은 대본을 이미 확인했으나 아무래도 한국에 처음 온 터라 윤여정 배우가 누군지 잘 몰랐고, 한국말에도 익숙하지 않았기에 대본에 있는 질문조차 제대로 읽지 못할 정도로 긴장합니다.

그때 윤여정 배우는 그런 에릭남을 향해 어깨를 다독이며 "진정해. 괜찮아. 네 질문에 다 답할게"라면서 격려의 말을 건넸다고 합니다. 에릭남은 이 경험을 10년이 지난 지금까지도 기억에 가득 담아두고 있었습니다. 별것 아닌 일 같은데, 누군가의 친절한 말 한마디로 한 사람을 바라보는 시각이 달라진다는 것, 우리의 말하기에 힌트를 주는 사례였습니다.

누구보다 위트 있고 호기심 많은 매력 부자인 어기. 하지만 그는 남들과 다른 외모로 태어났습니다. 얼굴을 가리려 하는 마음에 그는 크리스마스 보다는 얼굴을 감출 수 있는 할로윈을 더 좋아할 정도였죠. 열 살이 된 아들에게 더 큰 세상을 보여주고 싶었던 엄마와 아빠는 어기를 학교에 보내기로 합니다. 하지만 세상은 만만치 않습니다. 사람들의 시선에 큰 상처를 받게 된 거죠.

하지만 스물일곱 번의 성형수술을 견뎌낸 어기의 긍정적인 성격은 오히려 주변 사람을 하나 둘 변하게 만듭니다. 긍정적이고 행복한 방향으로 말이죠. 영화 「원더Wonder」의 대략적인 줄거리였습니다. 아이들에 대한 이야기이지만 저 역시 큰 감동을 받았습니다. 특히 영화 속 다음의 한마디는 큰 울림으로 다가왔습니다.

"옳음과 친절 중에 하나를 고르게 된다면 친절을 택하세요."

When given a choice between being right and being kind always choose kind.

불법이나 부당한 걸 선택하라는 말은 아닐 겁니다. 하지만 옳음을 말해야 할 때 친절이 빠져 있는지에 대해 한번 되돌아보는 것, 그것이야말로 우리가 상대방에게 한 걸음 더 가깝게 다가서는 말의 기술이라는 걸 알려주는 듯합니다. 옳음이 아닌 친절과 배려의 마음을 갖는 것의 위대함을 이 영화에서 배워봅니다.

배려란 상대방의 입장에 서는 것이고, 이는 상대방과 나와의 거리를 좁히게 해줍니다. '타인에 대한 예의와 배려는 적은 돈을 투자해 큰돈을 버는 것과 같다'라는 말도 있습니다. 그런데 이 적은 돈과 같은 예의와 배려를 베푸는 게 실제로는 그토록 어렵습니다. 말 한마디 하면, 밝은 미소 하나만 보이면 될 텐데 말입니다.

금융회사에서 기업을 대상으로 영업만 십 년 이상을 해온 분이 있습니다. 그분은 고객으로부터 신뢰를 얻는 비결을 이렇게 말하시더군요. "고객이 아플 때 함께 아파하면 됩니다. 고객이 울면 함께 울어주면 되고요."

물론 말처럼 쉽게 할 수 있는 일은 아닐 겁니다. 잘 모르면 배우고 또 계속 훈련을 통해 단련시켜 나가야 하는 역량인 거죠. 타인의 마음을 알아차리고 끝까지 친절한 태도를 유지하는 것, 이는 우리가 누군가에게 다가설 수 있도록 하는 큰 힘이 됩니다.

예를 들어볼까요. 조직의 구성원인 당신, 아침 회의 시간에 참석합니다. 회의실로 부장님이 얼굴을 구긴 채 들어오네요. 서류를 탁 책상에 던지듯이 놓더니 화부터 냅니다. "도대체 숫자에 대한 개념이 있는 겁니까, 없는 겁니까?"

아무런 배경 설명조차 듣지 못한 당신은 당황합니다. 그리고 황당하죠. '이 인간은 왜 일주일을 시작하는 날에 기분을 잡치게 만드는 걸까?'라는 생각에 짜증부터 납니다. 짜증은 곧바로 직장생활에 대한 회의로 넘어가죠. '밑도 끝도 없는 이런 말을 들으면서 직장생활을 언제까지 해야 하나?' 사실 "영문도 모르는 저한테 왜 성질부터 내는 겁니까!"라고 소리를 치며 맞붙고 싶습니다.

하지만 이렇게 대화의 환경을 황폐하게 해서야 어디 관계가 제대로 형성되겠습니까. 어떻게 해야 할까요. 예전의 저라면 그냥 혼자 속을 삭이거나, 아니면 소리를 빽 지르거나 둘 중 하나를 선택했을 겁니다. 지금의 저라면? 일단 참겠습니다. 그리고 응답하는 시간을 늦추겠습니다. 마지막으로는? 장소를 바꾸겠습니다.

중국의 인문 고전 『손자병법』에는 "전쟁터와 전투 시간을 미리 알고 있으면, 천 리 길을 행군해 가더라도 적과 싸워 이긴다. 그러나 전쟁터와 전투 시간을 알지 못하면 같은 부대라도 왼쪽이 오른쪽을 구할 수 없고, 그 반대의 경우도 마찬가지다"라는 말이 있더군요. 대화 역시 전쟁이나 마찬가지입니다. 대화의 시간, 대화의 장소를 바꿔 나와 상대방의 거리를 좁힐 수 있어야 합니다.

특히 대화를 위한 장소 선택의 중요성에 대해 말씀드리고 싶습니다. 같은 상황이라면 그 자리에서 바로 얘기하는 대신 다른 장소를 바꿔서 말하는 것입니다. 이동하면서 상사가 어느 정도 화를 누그러뜨린 상태에서, 그리고 편한 장소에서 말하는 것, 그것이 나와 상사를 가깝게 만드는 대화의 진정한 기술일 겁니다.

정리해봅니다. 이와 같은 상황이라면 생각, 시간, 장소를 고려하여 대응하면 어떨까요. 우선 섣불리 말하려고 애쓰지 말고 상대방의 상황을 먼저 고려해봅니다. 직접 물어보는 것도 좋겠지만 최소한의 상식으로 왜 말을 험하게 하는지 고민해봅니다. 그리고 좋은 방향으로 생각해보는 겁니다. 이렇게요.

'아침에 새벽부터 나와서 임원회의 참석하고 왔다고 하던데. 혹시 특별하게 질책을 당한 건 아닐까. 요즘 회사에서 실적에 대한 압박이 장난이 아니라고 하던데. 우리 팀 실적이 안 좋아서 그런 건 아닐까. 그렇다면 오히려 내가 먼저 위로의 말을 해야 하는 게 맞지 않았을까?'

잘 생각하셨습니다. 조금만 더 배려와 친절의 마음을 가지고 다음과 같이 생각해봅니다.

'역시 리더는 아무나 하는 게 아니야. 스트레스가 얼마나 쌓일까. 점심 먹고 나서 커피라도 한잔 사드려야겠다. 그리고 하나 더, 나도 언젠가 부장이 될 테니 부장이 되었을 때 어떻게 커뮤니케이션해야 바람직한 리더의 언행인지도 고민해 봐야 하겠다.'

박수를 보냅니다. 이제 당신에게는 시간과 장소의 선택이 남아 있습니다. 시간이요? 그건 '지금 여기'만 피하면 됩니다. 아침에 짜증스런 말을 들었다면 최소한 점심시간 때까지는 아무런 말도 하려고 애쓰지 마세요. 자, 이제 점심시간이 되었습니다. 시간도 흘렀다면, 이제 장소에 대해 당신의 대화 역량을 발휘할 때입니다.

"부장님, 오늘 아침 회의 시간 힘드셨죠? 식사하러 가시죠. 식사 후 커피는 제가 사겠습니다."

나를 향해 이유 없는 성질을 내는 상대방을 향해서도 즉각적으로 대응하는 대신 잠시 시간을 두고, 장소를 바꿔, 상대방의 입장을 생각해서 친절과 배려의 마음으로 말하는 것, 이것이 우리가 상대방에게 한걸음 다가설 수 있게 하는 힘이 될 것입니다.

첫 골은 반드시 우리가 넣자

흥미로운 연구 결과를 접했습니다. A 집단은 상대방에게 요청할 때 "○○을 도와주시겠습니까?"라고 바로 묻습니다. B 집단은 "○○을 도와주시겠습니까?"라고 묻기 전에 "오늘 날씨 좋죠?" 혹은 "여기 음악이 좋죠?"라고 말하고 그중에서 "네, 좋습니다"를 말한 사람에게 비로소 "○○을 도와주시겠습니까?"를 묻습니다.

결과는 어땠을까요? B 집단이 도움받을 확률이 A 집단보다 비해 두 배 이상 높았답니다. 여기에서 상대방과 가까워지는 대화의 비결 하나를 얻습니다. 다음의 한 문장입니다.

"우리의 첫 마디는 상대방의 예스를 끌어낼 수 있어야 한다."

어떻게 해서든지 우리의 첫 마디에 대한 상대방의 응답은 긍정이어야 합니다. 물론 세상에서 가장 어려운 일이 사람을 대하는 일이니 첫 마디만으로 상대방의 긍정을 얻어내는 게 막연할 수도 있습니다. 하지만 어떻게 생각하면 그리 복잡한 일도 아닙니다. 거창한 그 무엇인가의 긍정을 얻어야 하는 게 아니라 사소한 작은 것 하나만 긍정을 얻어내도 괜찮으니까요.

오래전 일입니다만 한때 국내 농구계를 평정하던 농구팀 감독의 작전 지시가 기억납니다. 그분은 경기 시작 전 벤치에서 선수들을 불러 모아놓고 이렇게 말했습니다.

"첫 골은 반드시 우리가 넣자."

그때는 '농구는 수십 점을 넣을 텐데 왜 저렇게 첫 골에 매달릴까?'라는 의문이 있었는데 지금에 와선 그분의 말이 이해됩니다. '처음 한 마디', '처음 한 골'이 대화, 그리고 경기 전체를 지배하는 분위기를 가져오니까요. 그러니 우리 역시 누군가와의 대화에서 첫 번째 듣게 되는 상대방의 응답을 어떻게 해서든지 긍정의 대답으로 돌아오도록 노력해보는 게 좋겠습니다.

참, 어렵죠. 그렇습니다. 누군가에게 다가서기 위한 말하기란 참으로 힘듭니다. 당연합니다. 사람의 마음을 알기가 어디 쉽나요. 알 수 없는, 알기 힘든 상대의 마음을 고려해서 말하는 것이 만만할 리가 없습니다. 그뿐인가요. 어제까지만 해도 모든 것을 도와줄 것 같았던 사람이 오늘은 다른 이야기를 하고, 오늘까지 인상을 쓰던 사람이 내일에는 이유도 없이 상냥하게 나를 대합니다.

하지만 이 말씀도 드리고 싶습니다. 오히려 너무 달콤한 말이 귀에 들릴 때 조심해야 합니다. 실제로 저는 주변 사람들에게 이런 말을 하곤 하거든요. "처음 모임에 갔는데 너무나 말이 잘 통한다면 그건 둘 중의 하나입니다. 불법 다단계 업체 아니면 사이비 종교 단체일 겁니다." 세상을 살아가는 건 싫은 소리를 듣는 대가로 돈을 벌어서 사는 것 아닌가 하는 다소 냉정한 생각도 해봅니다.

원래 대화는 어려운 겁니다. 그러니 어렵지 않은 대화라면 경계해야 할 것이지 '와, 마음이 왜 이렇게 잘 통하지?'라면서 기뻐할 일이 아닙니다. 내가 아닌 다른 사람과 커뮤니케이션을 하는 것은 기본적으로 어렵다는 것이 전제라는 걸 기억해야 할 이유입니다. 그걸 인정하지 않고 '왜 소통이 이렇게 어렵지?'라고 흥분한다면 소통의 기본을 모르는 자신을 먼저 탓해야 합니다.

제가 좋아하는 인문 고전 『장자莊子』에 나오는 이야기입니다. "사마귀라는 벌레를 아는가? 달려오는 수레에 화를 내며 팔을 휘두르며 맞선다. 제 힘으로 감당할 수 없는 것임을 모른다. 자기의 능력을 터무니없이 과신하는 셈이다. 조심하고 신중해야 한다. 스스로의 훌륭함을 자랑하여 거스르는 것은 결국 오래가지 못한다."

상대방에 대해 팔을 휘두르며 맞서려고만 한 사마귀가 혹시 상대방의 상황을 고려하지 않고, 내 생각만을, 나 자신만 생각하는 대화와 같은 것 아닐까 반성해봅니다.

'내가 분명히 옳은데 왜 이 사람은 이럴까?'라는 상황에 직면하게 되었다면 상대방, 즉 사람을 고치려 해서는 안 된다는 것, 바꿔어야 할 것은 나라는 걸 기억하면서 대화를 이어간다면 우리는 상대방과의 거리를 좀 더 가깝게 할 수 있을 겁니다.

대놓고 하는 칭찬은 누군가에겐 훈장이 된다

"힘내라!"는 말조차도 하지 말라는 사람이 많아졌습니다. 상대방의 상태가 어떤지도 모른 채 무턱대고 말하는 응원의 말은 아무런 의미가 없다는 게 그 근거입니다. 저는 반대합니다. 그래도 응원해주십시오. 상대방을 향해 "힘내!" "응원한다!" "잘 될 거야!"라는 말을 아낌없이 하는 당신이 되기를 바랍니다.

『한비자韓非子』라는 책에서 비슷한 이야기를 본 적이 있습니다. '유세遊說'라는 말이 있습니다. 이는 '상대에게 자기의 주장을 알림'이라는 뜻인데요. 책에서는 다음과 같은 조언을 합니다. "상대방이 자랑스러워하는 것은 칭찬해주고, 부끄러워하는 부분은 감싸야 하는 것에 힘을 써야 한다."

이쯤에서 우리의 말을 돌아봅니다. 상대방이 자랑스러워하는 건 외면하고, 부끄러워하는 건 파헤치는, 그런 냉정하고 잔인한 말들을 하고 있었던 건 아닐까요.

저부터 고백합니다. 저 역시 그랬거든요. 누군가의 기쁜 일에 대해서는 모른 체하고, 감추려는 건 굳이 알아내어 누군가에게 알리려 하고…. 그러니 누군가에게 잘 다가설 수 있었겠습니까.

상대방이 개인적으로 하고자 하는 일이 불법이나 부당한 일이 아니라면 드러내어 권해야 합니다. 상대방이 마음속으로 비천하다고 느끼지만 하지 않을 수 없는 일이 있을 때는 그 일이 아름답다고 꾸며줄 정도의 여유가 있어야 합니다. 그렇게 한 걸음씩 상대를 향해 다가서는 여유와 기다림이 우리의 말하기에 깃들기를 바랍니다.

상대방에게 힘을 주는 말하기. 이를 능숙하게 해내는 우리가 되었으면 합니다. 또 긍정이라는 말을 하지 않을 수가 없습니다. 그래도 반복하겠습니다. 긍정이라는 말이 대책 없는 낙관만 아니라면 세상을 살아가는데 힘이 되고 또 성장의 계기가 됩니다. "긍정적 마인드의 기업은 부정적 생각에 빠진 기업의 인수를 통해 성장의 계기를 마련한다"라는 말이 있습니다. 오직 기업만일까요.

상대방이 자랑스러워하는 걸 아낌없이 칭찬하기를 바랍니다. 쉬운 것 같지만 실제로는 행하기 쉽지 않기에 더욱 권하고 싶습니다. 스스로 돌아보시죠. 우리는 얼마나 칭찬과 인정에 목말라

있나요. 그것을 이용해보세요. 이용한다는 말이 다소 부담스러운가요. 괜찮습니다. 칭찬의 이용은 그 어느 순간에도 무죄니까요.

훈장은 어디에 다나요. 가슴에 답니다. 겨드랑이나 사타구니에 달지 않죠. 왜일까요. 훈장은 다른 사람이 보라고 있는 것이기에 가장 잘 보이는 곳에 달아놓는 것입니다. 그 훈장을 보고 다른 사람이 '아, 이 사람은 훌륭한 분이구나!'라는 생각하게 하려고 가슴에 다는 겁니다. 솔직하게 말하면 말입니다. 칭찬받고 싶어서, 인정받고 싶어서.

여기에서 또 하나의 말하기 팁을 유추해봅니다. 우리의 말하기가 상대방에게 훈장을 주는 것과 같으면 어떨까요. 이왕이면 사람들이 모여 있는 곳에서 공개적으로 인정하고 칭찬하며 격려하고 함께 기뻐하는 말을 할 수만 있다면 서먹한 그 누구라도 다가섬이 어색하지 않을 테니까요. 특히 '내 주변에 왜 사람이 없을까?'를 고민한다면 더욱 그렇습니다.

친구는 많으나 연락이 오기보다는 먼저 안부를 물어봐야 얼굴이라도 보게 되고, 모임에 참석해도 자신을 편하게 대하기보다 어렵고 부담스러워하는 느낌을 받고…. 그러다 코로나19의 시대가 되니 그야말로 종일 카톡 알림 한번 받기 힘든 상황 말입니다. 이럴 땐 그동안 누군가와 관계를 맺을 때 혹시 부정적 말하기에 익숙했던 건 아닌지 되돌아보기를 바랍니다.

친구가 "거기 식당 맛있다"라고 하면 "반찬이 별로던데"라고 퉁명스럽게 말하고 상대방이 "그 영화 너무 재미있지 않았어?"라고 말하면 "영화는 재밌는데 배우 연기가 별로던데?"라며 안 좋은 점을 찾는 등 남들이 다 좋다고 하는데도 기어코 단점을 찾아내 헐뜯으려는 말하기가 습관이 되어버린 것은 아닌지 말입니다.

이제부터라도 말 한마디라도 예쁘게 하는 연습을 해보세요. 다른 사람의 장점을 찾아내어 칭찬하고, '왜 저러냐?'라고 말하기보다는 '그럴 수 있지!'라고 긍정해주고, 상대방이 누군가의 노력에 대해 '애쓴다'라면서 비웃을 때도 '그 사람도 지금 노력하고 있는 것 아닐까?'라고 긍정의 시선으로 말할 수 있다면, 세상과의 관계는 좀 더 아름다워지지 않을까요.

열 가지를 말하고 싶다면 한 가지만 말하자

봄은 그냥 오지 않습니다. 꽃샘추위와 함께 오죠. 추위 중에 가장 혹독한 게 꽃샘추위가 아닌가 합니다. 겨우내 웅크렸던 몸을 활짝 펴려는 시점에 갑자기 찾아오기에 적응이 힘들기 때문입니다. 어디 몸뿐인가요. 마음도 마찬가지입니다. 하늘은 봄을 선물하려면 얌전히 줄 것이지 왜 꽃샘추위 따위를 같이 주는 걸까요.

자연의 가르침 아닐까요. 이제 진짜 세상에 나가는데 오히려 더 긴장하라고 말입니다. 예를 들어 땅에 묻혀 있는 작은 씨앗 하나를 생각해보죠. 작은 씨앗 하나가 긴 겨울을 이겨내고 결국에는 얼어붙은 흙까지 뚫고 나오는 걸 보면 대단합니다. 씨앗의 목표는 단순할 겁니다. '세상 밖으로 나가고 싶다.' 하지만 그게 씨앗의 목표가 되어서야 하나요.

목표는 씨앗이 언젠가 열매가 되어 다시 씨앗을 뿌리는 바로 그 순간이 되어야 할 것입니다. 그 긴긴 과정을 버티기 위해선 단순히 세상 밖으로 나가는 게 중요한 것이 아니라 세상 밖에서 온갖 어려움을 이겨내야 합니다. 때문에 하늘은 꽃샘추위라는 걸 주어 조심하라고 경고하는 건 아닐까요. 목표를 정확히 다시 확인하고 그것을 향해 세상과 함께하는 것, 우리의 대화에도 필요한 마음입니다.

목표가 명확하고 투명할수록 우리의 말은 길어질 이유가 없습니다. 중요한 게 무엇인지 깨닫고 핵심에 집중하는 말하기가 중요한 이유입니다. 그렇다면 우리가 원하는 대화의 목표에 도달하기 위해 해야 할 말은 어떤 것일까요.

필요한 것을 핵심부터 말하는 힘, 이에 대해 구체적 사례를 들어 확인해보도록 하겠습니다.

회사의 한 부서의 팀장인 당신, 팀원들에게 회식을 제안합니다. 다음 중 어떤 말하기 방식을 택하겠습니까.

#1

"뭐 먹을까. 김 대리는 뭐 먹고 싶어? 이 과장은 견과류 알레르기가 있다고 했던가?"

#2

"뭐 먹을까. 일단 회사에서 걸어갈 수 있는 곳으로 장소를 잡으면 되겠지?"

전자와 같이 의견을 물어보는 것이 일반적입니다만 후자처럼 회식을 위한 장소의 선정이라는 측면에서 제안하는 것이 원하는 목표, 즉 회식 장소의 선정을 위해서는 빠른 길이 됩니다. 장소는 물론 시간과 개인의 취향까지 한꺼번에 모두 고려해서 장소를 정하면 결론이 나기가 어렵습니다. 우선 장소를 정하고 메뉴를, 그리고 시간을 정하는 것이 대화의 순서에 맞습니다.

우리의 입에서 나오는 말들이 상대방에게 선택의 편안함을 주기 위해서는 가능하면 불필요한 말은 줄이는 게 좋습니다. 커뮤니케이션을 '내가 가진 모든 것을 쏟아부어야 성과를 얻게 하는 것'이라고 생각하면 말은 지저분해집니다. 예를 들어볼까요. 다음의 사례에서 점원의 말에 집중해서 읽어보세요.

고객 : 의자를 사러 왔습니다.

점원 : 의자요? 이게 좋습니다. 요즘 북유럽에서 유행하고 있는 최신 모델인데….

고객 : 아, 네. 저는 그저 집에서 아이 책상 의자로 사용할 거라 저렴했으면 합니다.

점원 : 에이, 아니죠. 요즘엔 가격보다는 기능이죠. 브랜드도 중요합니다. 그러니 이것을….

고객 : 저, 아까 말씀드린 대로 아이 책상 의자라.

점원 : 그럼, 이 의자 어떠세요. 책상하고 같이 바꿔보세요. 세트 할인 판매 중인데 이번 달이 마지막이라….

고객 : ….

고객의 말문을 막는 점원의 말투, 답답합니다. 열심히 설득하는 것도 좋지만 더 중요한 것은 잘 설득하는 것 아닐까요. 팔아야 생존하는 시대이긴 하지만 사려는 사람의 생각을 염두에 두지 않는다면 성과는 미비할 수밖에 없습니다. 판매 매뉴얼에 의해 기계적으로 판매하려는 영업 기법은 오히려 고객을 소외시킵니다.

말은 길어지면 지루해집니다. 내가 말하려는 게 100가지면 그 중에 90가지 이상을 제거하고 나머지 10가지만 말할 수 있어야 합니다. 상대는 우리를 기다려 주지 않습니다. 용건만 간단히, 그러면서도 해야 할 말을 임팩트 있게 전달하는 연습에 몰두해야 합니다. 쓸데없이 많은 것을 전달하지 말고, 거창한 명분을 붙여서 말하지도 말고, 상대가 듣기를 원하는 핵심만 말하는 것이죠.

다른 사례를 더 확인해봅니다. 한 학부모가 전자 상가에 들러 노트북을 사려는 상황입니다. 당신이 점원이라면 다음 두 가지 방식 중에 어느 말하기 방식을 택하게 될까요.

#1

"아이 학습용을 원한다고 하셨죠? 이게 최신 모델입니다. 이 노트북은 디스플레이와 사운드 등 성능을 강화하고 휴대성을 개선했으며, 인텔 3세대 i7 쿼드코어 프로세서와 16GB 메모리를 지원하고, 램가속 기술을 적용했습니다. 그뿐인 줄 아세요? AMD의 신형 그래픽카드 라데온 HD 8870M을 내장해 기존 제품과 견줘 70% 그래픽 성능이 향상됐고요. 이에 따라 영화 볼 때도 끊김 없는 것은 물론, 풀HD 해상도의 동영상 편집과 고해상도 게임 실행이 가능합니다. 캠핑이 유행이라던데, 자주 가시나요? 이 제품은 풀HD 해상도의 178도 광시야각 화면을 탑재했으며, 화면 밝기는 300니트로 야외에서도 화면을 보는 데 무리가 없습니다. 4W 출력의 JBL 스테레오 스피커 2대를 장착했으며, 베이스 부스트 기술을 제공해 저음 영역 사운드도 뛰어나답니다. 한 번 충전하면 최대 11시간 30분 사용할 수 있으며 두께는 20.9㎜로 얇은 편이죠. 어때요."

#2

"아이 학습용을 원한다고 하셨죠? 학습용으로는 이 노트북이 가장 잘 팔리고 있습니다."

첫 번째 방식으로 말하고 싶은 욕구, 실제로 그만큼 잘 알고 있다는 것 모두 인정합니다. 하지만 말하기는 상대가 평가하는 것입니다. 상대의 상황에 적합한 말하기는 두 번째 방식입니다. 고객에게 다가서고자 한다면, 그래서 결국 성과를 내고, 재구매 고객으로 이어지게 하고자 한다면 두 번째 방식으로 말할 수 있는 당신이 되기를 기대합니다.

누군가를 완벽하게 추앙하는 법

교사가 한 중학생에게 말합니다. "적성검사를 보니 너는 수학에는 소질이 없어. 대신 영어, 국어에는 강점이 있어." 이 말에 대해 어떻게 생각하시나요. 선생님의 인생은 아무렇지도 않을지 모르겠으나 그 말 한마디로 학생은 수학에 대해 평생 끈을 놓아버릴지도 모릅니다. 그만큼 잔인하고 냉정한 말입니다. 물론 교사는 변명할 수도 있겠습니다. "저는 학생의 부족한 점보다 강점에 집중해서 상담했을 뿐이라고요!"

글쎄요, 이런 생각이 학생의 앞날에 대한 면죄부가 될 수 있을까요. 교사의 말은 일종의 규정과도 같습니다. '너는 ○○한 사람이다'라는 말에 영어, 국어에 강점이 있다는 것을 격려하려는 좋은 의도가 있었다 하더라도, 강점을 부각하기 위해 굳이 수학에는 소질이 없다는 나쁜 점을 이야기했다면, 듣는 사람에게는 이 한마디가 저주일 뿐입니다. 이 학생은 중학교 나머지 교과과정, 거기에 최소 고등학생 때까지 회피할 수 없는 과목인 수학의 포기자가 될지도 모릅니다.

상대방에 대한 평가에 대해 이야기해보려 합니다. 결론부터 말씀드리면 그 어떤 말로도 상대방을 평가하는 말만큼은 하지 말아주세요. 특히 평가에 자신의 부정적인 생각을 담아서 상대방에게 말하는 건 극히 조심해야 합니다. 평가는 규정이 됩니다. 규정은 잘못하면 저주가 되어버립니다.

잘못된 칭찬도 비슷합니다. 말하기의 흔한 잘못 중 하나가 상대방에 대한 평가를 마치 칭찬처럼 착각하고 말하는 경우입니다. 예를 들어봅니다.

당신은 직장인이며 한 부서의 팀장입니다. 팀원이 보고서를 작성해 당신을 찾아왔습니다. 보고서를 검토한 후 이렇게 말을 시작합니다. "김 대리, 보고서 잘 썼어!" 제가 이 팀장이라면 딱 여기에서 멈출 겁니다. 그러면 칭찬이 됩니다. 하지만 대부분 우리는 꼭 이상한 말을 칭찬이라는 말 뒤에 붙여버립니다. 이 말이 상대방을 향한 칭찬을 평가로, 비판으로 그리고 비난으로 변하게 만듭니다.

"그런데 말이지, 왜 실적에 대한 예상이 빠져 있지? 숫자가 있어야지. 평소에도 숫자를 쉽게 생각하더니 여기에 또…." 상사는 칭찬했다고 생각하겠지만 부하직원의 생각은 다를 겁니다. '아, 또 지적당했구나. 숫자 빠졌다고 타박만 받고. 그나저나 지시할 때 미리 실적 정리하라고 하면 안 되나?', '하라는 대로 했는데 지금에 와서 또 보고서 고치라고 하네.' 직장이라는 곳에서 흔하게 보는 모습입니다.

커뮤니케이션에서 칭찬할 때는 칭찬 그 이후의 격려의 말로 조심하라고 하는 경우가 많습니다. 예를 들어서 앞의 사례에서 상사가 "김 대리, 보고서 잘 썼어!"라는 말 뒤에 "수고했어!"라고 말하고 끝나는 것도 위험하다는 것이죠. 우리가 일반적으로 생각하는 "잘했어" 혹은 "수고했어"라는 말은 상대방에게 힘을 주기보다는 평가의 상태를 느끼게 하기 때문이라고 합니다. 평가를 당하는 입장이기에 지속적인 긴장 상태에 있을 수밖에 없고요.

그렇다면 도대체 어떻게 말해야 하냐고요? 이렇게 말하면 어떨까요? "김 대리, 보고서 잘 썼어! 경쟁시장에 대한 분석은 나도 미처 몰랐던 거야. 동료들에게도 도움이 되겠네."

처음부터 끝까지 칭찬으로 시작해서 칭찬으로 종결되었죠. 질책이 담긴 어떠한 의미의 이야기도 없습니다. 이제 칭찬은 칭찬으로서 상대방에게 전달되었습니다. 이렇게 상대를 완벽하게 추앙한다면 우리는 그에게 한걸음 다가설 수 있게 됩니다.

우리는 모두 서로를 돕길 원합니다. 인간이란 존재는 원래 그런 것이니까요. 그렇다면 우리는 서로의 불행이 아니라 서로의 행복에 의해 살아갈 수 있어야 합니다. 그건 상대방에게 '당신의 말과 행동이 나에게 도움이 되었다'라고 말할 수 있을 때 시작됩니다. 물론 이 말은 그렇게 만만치가 않습니다. 본 적도, 들은 적도 거의 없기 때문이죠. 그래서 칭찬, 격려, 이런 것들에 어색해하고 또 실제로 말하면서도 실수합니다.

A부서에서 프로젝트를 진행했습니다. 부서 전체가 집중해야 할 정도로 힘든 일이었습니다. 분명 모든 구성원이 열심히 했겠지만 그중 탁월한 능력으로 프로젝트를 이끌어간 사람이 있었습니다. 그 사람을 '박 대리'라고 해보죠. 그 프로젝트는 결국 성공했습니다. A부서의 팀장인 당신, 팀원 전원을 모이게 해서 이렇게 말합니다. "박 대리, 너무 고생했어요. 역시 우리 부서의 에이스야!"

자, 이 말에 대해 어떻게 생각하시나요. 글쎄요, 유쾌한 말이 아닌 것만큼은 확실합니다. 당신은 이를 격려 혹은 칭찬이라고 말하겠지만 이 말은 평가에서 한 걸음도 더 나가지 못했습니다. '당신은 보통 사람보다는 좀 낫네'라는 비교우위를 말했을 뿐입니다. 그뿐인가요. 당신의 말을 듣는 박 대리 이외의 팀원들은 도대체 뭐가 되는 걸까요. 상대적으로 다른 사람들은 우수하지 못한 인재?

상대방에게 다가설 줄 아는 우리, 이렇게 말할 수 있다면 어떨까요? "모두 수고했어요. 개인적으로는 박 대리의 아이디어가 저에게 특히 도움이 되었습니다."

이 말에는 어떤 평가도 없습니다. 오히려 말하는 사람이 상대방으로부터 도움을 받았다는 감사의 말만 있을 뿐입니다. 이 말을 듣는 박 대리 이외의 다른 구성원들도 딱히 불편함을 느끼지 않을 수 있고요. 이렇게 하나하나 마음의 거리를 좁혀간다면 우리의 관계는 좀 더 다가서는 분위기로 개선되지 않을까요.

물론 상대방의 행동으로 인해 내가 도움이 되었다는 말을 하는 건 여전히 어색합니다. 본 적도, 들은 적도 거의 없기 때문이지요. 하지만 하나는 확실합니다. 그렇게 어색한 말이니만큼 일단 해내기만 한다면 다른 사람들에 비해 우리의 말하기는 상대방에게 다가서는 말하기에 다른 사람들보다 한 걸음 더 앞서가는 셈이라는 것 말입니다.

질 높은 대화를 위한 숙성의 시간

인간이 사용할 수 있는 가장 값진 것은 무엇일까요. 시간이 아닐까 합니다. 대화에서도 마찬가지입니다. 절대적인 대화의 시간이 부족하면 다가서기는 서먹해집니다. 안 보일수록 멀어지듯이 말의 양이 적을수록 다가서기 힘들어지는 것이죠. 특히 비즈니스 관계에서 이런 관계가 흔히 일어납니다. 하나의 이벤트가 끝나고 나면 나 몰라라 하는 경우가 그것이죠.

이렇게 되면 더 이상의 관계는 불가능해집니다. 아예 모르는 관계면 시작이라도 해볼 수 있지만 알던 관계에 시간이라는 윤활유가 빠지면 다가서기란 어려워질 수밖에 없습니다.

예를 들어볼까요. 한 대학원생이 있습니다. 교수님과 열심히 소통하며 석사학위를 취득한 후 박사과정은 다른 대학원으로 가게 되었습니다.

새로운 대학원, 새로운 지도교수님 아래에서 공부에 매진합니다. 당연히 석사 시절의 교수님과는 점점 연락의 빈도가 줄어듭니다. 그러던 중 하나의 프로젝트를 맡게 됩니다. 그런데 그 프로젝트의 최고 권위자가 마침 석사 과정의 지도교수님입니다. 도움을 얻어야 했기에 전화를 합니다. "교수님, 오랜만입니다. 요즘 바쁘시죠? 제가 이번에…."

그 교수는 한때 제자였던 사람에 대해 반갑게 맞이할까요. 아닐 겁니다. 여기에서 우리는 다가섬을 위한 절대 시간에 대해 생각해봅니다. 절대 시간이라고 하니 시간의 총량을 말하는 것 같아 오해의 소지가 있네요. 그보다는 빈도라고 말하는 게 옳겠습니다. 간결하게 하지만 지속해서 소통의 끈을 이어가는 그 모습, 바로 대화의 태도가 중요합니다.

물론 그 대학원생도 할 말은 있을 겁니다. "교수님이 바쁘실 거 같아서 저도 선뜻 연락하기가 어려웠습니다." 하지만 그 교수에게 그건 그저 변명일 뿐입니다. 짧은 안부라도 지속해서 주고 또 받았다면 과연 이런 변명할 이유가 있었을까요. 만나는 것도 그렇습니다. 한번 만나서 두 시간, 세 시간 있을 필요가 없습니다. "교수님, 뵙고 싶습니다. 10분만 시간 내주세요. 교수실로 찾아뵐게요"라고 말하고 찾아뵙기만 해도 됩니다. 1년에 몇 번만이라도.

특히 무엇인가를 상대방으로부터 얻었을 때, 성취에 이른 후가 조심해야 할 때입니다. 섣불리 상대방을 이제 알았다고, 혹은 얻을 것을 얻었으니 이젠 필요 없다고 생각하면서 만남의 회수를 줄여가는 어리석음에 빠져서는 안 됩니다. 새로운 것, 새로운 상대방을 찾는다고 기껏 구축해둔 기존 관계를 소홀히 하는 건 세상의 모든 것에 다가서고자 하는 우리의 태도가 아닙니다.

언젠가 영업 분야에서 일가를 이룬 분의 이야기를 듣게 되었는데 그 말씀이 인상 깊었습니다. "새로운 고객을 찾지 못해서가 아니라 기존 고객 관리 소홀로 망한 영업사원이 너무도 많다." 이미 관계를 맺고 있는 사람을 관리하는 것이 얼마나 소중한 것인지 모르는 경우가 많다는 걸 지적한 말이라고 생각합니다. 새로운 사람에게 눈을 돌리는 것 역시 필요합니다. 그러나 기존 관계를 무시하고 훼손하는 건 새로운 관계를 맺기에 앞서 더욱 조심해야 할 태도입니다.

물론 어렵게 이룬 장시간의 노력이 지긋지긋해서라도 당신은 기존의 그 누군가와 빨리 커뮤니케이션 관계를 끝내고 싶을지도 모르겠습니다. 어려운 과정을 거쳐 성과를 이루면 허탈함이 오게 되는 경우도 흔하니까요. 하지만 기억하세요. '나는 이제 당신에게 얻을 건 다 얻어냈다'라는 듯한 당신의 태도가 상대방의 마음에 상처를 준다는 것 말입니다. 그러니 어려운 커뮤니케이션을 끝냈다고, 그렇게 얻어낼 것을 얻어냈다고 쉽게 기존의 관계를 소홀히 다루지 마십시오.

우리가 농부라고 해볼까요. 농작물을 수확했습니다. 그 수확의 근거가 된 땅에 대해 우리가 관심을 끄면 되나요. 아닙니다. 땅에서 농작물이 성장했습니다. 오히려 수확 이후 땅을 어떻게 관리하느냐가 다음 농사의 준비가 됩니다. 성과를 얻었다면 성과의 근간이 된 것에 관심을 가져야 하는 이유입니다. 마찬가지입니다. 무엇인가를 얻었다면 그 성과의 근간에 애정을 주어야 합니다. 사람이 그 애정의 대상이 되어야 합니다.

예를 들어볼까요. 수주 입찰에서 성공했습니다. 그 성과의 근간이 된 것은 무엇일까요? 멋진 파워포인트 자료? 압도적인 제품의 품질? 완벽한 애프터서비스? 아닐 겁니다. 성과를 이룬 근간에는 바로 '사람'이 있습니다. 커뮤니케이션의 상대방이야말로 성과의 시작이자 끝입니다. 그런데 성과를 얻었다고 사람과의 관계를 소홀히 한다? 이건 기껏 다가선 누군가와의 관계를 스스로 쉽게 끝내버리는 무지함일 수밖에 없습니다.

커뮤니케이션은 인간관계라고 합니다. 인간관계는 인간적 만남의 시간과 비례하는 경우가 대부분이죠. 그러니 사람과의 관계에 시간을 할애하는 건 당연합니다. 기존 관계든, 신규 관계든, 만나야 하고 또 대화해야 합니다. 안부를 물어야 하고 문제가 없는지에 대해 물어봐야 합니다. 불편한 게 없는지 의향을 파악하고 조금이라도 새로운 무엇인가가 문제가 된다면 친절하게 안내해야 합니다. 끝났다고 끝난 게 아닙니다.

일이 끝났다고 대화를 끝내고 사람까지 끝내자는 무지함과 이별할 때입니다. 일이 끝났다면 그 일의 과정 하나하나를 복기하면서 상대방에 대한 감사, 자신의 성장에 대한 고마움을 떠올리십시오. 하나의 관계를 하나의 관계 이상으로 끌고 가지 않으려는 쓸데없는 자기방어 늪에서 벗어나, 기존 관계가 보다 나은 관계로 이어질 수 있도록 우리의 말하기를 되돌아봤으면 좋겠습니다.

좋은 대화를 위해 기억해야 할 두 가지 태도

내 말이 상대방에게 어떤 의미가 있을까?

우리가 지금 하는 고민의 주제입니다. 원하는 걸 얻고자 이런 저런 말을 상대에게 건네보지만 돌아오는 건 외면뿐인 경우가 많습니다. 저는 이럴 때 혹시 '나 자신의 왜'만 끈질기게 상대방에게 강요한 건 아닌지 돌아보라고 말씀드리고 싶습니다. '상대방의 왜'가 아닌 '나 자신의 왜'만 말해봐야 타인에게는 소음이기 때문입니다.

저는 우리가 상대방에게 다가서고자 할 때 필요한, 상대방이 나의 말에 귀를 기울이게 하기 위한 말하기 태도 두 가지를 소개하고자 합니다. 언젠가 TV에서 나온 한 강사를 통해 들은 이야기였습니다. "첫째, 나의 말은 상대방에게 기쁨을 줄 수 있어야 한다. 둘째, 나의 말은 상대방에게 흥미를 유발할 수 있어야 한다." 이 두 가지에 주의한다면 우리의 말하기는 어제와 다른 오늘의 말하기로서 상대방에게 다가섬에 있어 확실히 더 나은 결과를 가져올 것이라고 생각합니다.

우리의 말하기에 있어 나 자신이 아닌, 상대방을 고려하면서 관계를 이어가고자 한다면 상대방 관점에서의 기쁨 그리고 흥미에 주목해야 합니다. 그렇다면 우리는 내 말이 지금 상대방에게 기쁨을 주고 있는지, 내 말이 지금 상대방의 흥미를 유발하고 있는지를 늘 생각하고 있어야 하겠습니다.

'상대방의 왜'와 거리가 먼 말이라면 우리의 말은 아무런 소득 없는 메아리일 뿐입니다. "위대한 사람은 목적이 있고, 그렇지 않은 사람들은 소원을 원한다"라는 말이 있습니다. 우리가 그동안 했던 말들이 상대방의 욕망과는 동떨어진 오로지 우리 자신의 소원에 지나지 않았는지 반성해봐야 합니다. 목적이 있는 사람의 말하기는 상대방의 '기쁨'과 '흥미'를 고려한다는 것, 다시 한번 기억해두세요.

우리는 오늘도 말을 합니다. 하지만 어떤 생각으로 말을 하고 있는지 관심 없는 경우가 많습니다. 그렇게 아무런 의미도 없는 말을 합니다. 사실 말을 해서 아무런 일도 없으면 그나마 다행입니다. 말 한마디 잘못해서 모든 것을 엉망으로 만들기도 하니까요. 말에 대한 속담 중에 기억나는 게 있으신가요. 속담 중에 말에 관한 것을 기억해보세요. 무엇이 생각나십니까.

"말 한마디로 천 냥 빚을 갚는다."

제일 유명한 속담입니다. 이제 이 속담을 한번 살펴볼까요? 말로 빚을 갚는다? 괜찮은 이야기입니다. 자본주의 시대, 돈이 중요한 시대입니다. 그러니 말 한마디로 빚을 갚는다면 그건 괜찮은 일이죠. 그런데 이 속담은 이렇게 풀이해야 하는 거 아닐까요?

"빚을 갚으면 남는 게 무엇인가. 빚이란 마이너스다. 마이너스를 메운다면? 플러스가 아니다. '0'이다. 이제 다시 시작인 거다. 결국 '말 한마디로 천 냥 빚을 갚는다'라는 속담은 말을 하면 무엇인가를 더 얻는다는 게 아니다. 잘해봐야 기존의 부채를 청산한다는 의미에 불과하다."

말에 대한 속담을 더 찾아봅니다. 찾아보면 '말을 많이 하라'고 권하는 속담보다는 말의 사용에 대한 경고의 메시지를 담은 것들이 훨씬 많습니다.

낮의 말은 새가 듣고 밤의 말은 쥐가 듣는다.

혀 밑에 도끼 들었다.

곰은 쓸개 때문에 죽고 사람은 혀 때문에 죽는다.

말 많은 집은 장맛도 쓰다.

말로 온 동네 다 겪는다.

예쁜 얼굴 값, 말로 깎는다.

관 속에 들어가도 막말을 말라.

말, 대화, 만만치 않습니다. 잘해야 본전이고 잘못하면 극심한 손해를 봅니다. 말은 가볍게 하는 게 아닙니다. 간절함이 있어야 하고, 늘 조심해야 합니다. 한 중견기업의 구매 담당자가 이런 말을 하는 걸 들은 적도 있습니다.

"구매를 위한 협력업체의 담당자가 농담이라도 성의 없어 보이는 말을 쉽게 하면 처음에는 웃어넘깁니다. 그럴 수도 있죠. 하지만 반복되면 그 사람을, 심지어는 그 사람이 다니는 회사 자체를 저도 우습게 여깁니다. 갑질을 해서는 안 되겠지만 진실한 마음이 엿보이지 않는 사람과의 대화는 진행하고 싶지 않습니다."

말이 통하기 시작한다고 함부로 들뜨지 마십시오. 간절한 마음으로, 하지만 상대방의 기쁨과 흥미를 고려하면서 차분하게 말해야 합니다. 차분한 마음으로, '상대방의 왜'에 대해 생각하면서 조심스럽게 말을 건넨다면, 그 차갑던 상대방도 어느새 한층 가깝게 다가와 있으리라 생각합니다.

잘 모르면 조금도 아는 척하지 않는 게 백배 낫다

상대방에게 다가서려면 상대방을 사랑해야 합니다. 사랑의 마음이 없이 증오와 배척의 마음가짐으로는 다가섬이란 '절대 불가능한 그 무엇'에 불과합니다. 그렇다면 사랑에 있어 첫 번째 의무는 무엇일까요. 상대방에게 귀를 기울이는 것입니다. 상대방에게 귀를 기울인다는 것은 상대방을 안다는 것, 잘 모른다면 최소한 알기 위해 노력한다는 것을 의미합니다.

사실 상대의 사정을 모르고 말하는 것만큼 상대를 기분 나쁘게 하는 것도 없습니다. 직장에서 오랜 시간 근무하다 보니 이런저런 분들과 이야기를 나누게 되는데요. 언젠가 한 중견기업 채용 담당자로부터 이런 이야기를 들은 적이 있습니다.

"수많은 이력서를 보면서 가끔은 화가 날 때도 있습니다. 도대체 이 사람이 우리 회사를 알고 지원한 것인지 궁금한 경우죠. 우리 회사가 무엇을 하는 회사인지도 모르고 지원하는 사람이 태반입니다. 불쾌합니다. '대기업이 아니라 그런 거려니'라고 좋게 생각하려 하지만 취업에 있어 기본적인 예의도 없는 사람이라는 생각을 지우기 쉽지 않습니다. 이런 사람은 별도의 명단을 만들어 아는 회사에 블랙리스트로 돌리고 싶다는 생각도 가끔 해봅니다."

잘 알지도 못하면서 글을 쓰고, 잘 알지도 못하면서 말을 한다는 것의 위험성이 느껴지는지요. 물론 가끔은 모르고 아는 척을 하는 것도 필요할 때가 있을 겁니다. 오죽하면 『읽지 않은 책에 대해 말하는 법』이란 책까지 있을까요. 하지만 이왕 아는 척을 하려면 제대로 알고 아는 척을 해야 합니다. 모르는 것을 티 내면서 말하는 것만큼 상대방을 기분 나쁘게 하고 관계를 끊고 싶도록 하는 것도 없으니까요.

상대방이 어떤 사람인지, 그 사람이 원하는 것은 무엇인지, 그 사람이 속한 집단이 원하는 것은 무엇인지에 대해 모두 알 수는 없을 겁니다. 그래도 어느 정도는 알아야 하겠습니다. 그게 대화를 하는, 인간관계를 맺는 기본적인 예의라고 할 것입니다. 기본적인 것은 알고 있어야 한다는 것이죠. 그러니 이 문장 하나를 꼭 기억해두십시오. "모르면 말해선 안 된다."

그렇다면 알기 위해서 어떤 노력을 해야 할까요. 상대의 생각을 상상해보는 훈련입니다. 대화란 상대방이 있기에 상대방을 머릿속 그림으로 상상하지 않고 덤벼드는 대화는 불안정합니다. 대화란 상상력을 요구하는 고난도의 기술이라는 점을 잊지 말아야 합니다. 특히 대화의 초기 단계에서 실수하는 경우가 많은데, 이것 역시 상대방에 대한 이해의 부족에 있습니다.

예를 들어볼까요. 상대방은 단지 호감을 표시했을 뿐인데, 그것을 자신에 대한 긍정으로 받아들이는 경우가 있습니다. 상대방은 아직 마음의 문을 열지 않았음에도 섣부른 서두름이 모든 것을 망치는 그런 경우일 겁니다. 가벼운 감기도 악화되면 폐렴으로 발전하는 법입니다. 그러니 나와 다른 상대방과의 대화라면 처음의 가벼운 대화부터 조심해야 합니다.

대화는 인간관계를 전제로 합니다. 인간관계는 서로를 향한 관심으로부터 시작합니다. 문제는 상대의 가진 것, 즉 우리가 원하는 것에만 관심을 가지고 정작 더 중요한 것을 놓치는 경우가 많다는 데 있습니다. 상대방이라는 사람이 가진 것이 아닌 상대방이라는 사람 그 자체에 관심이 없으면 상대방도 그것을 금방 알아챕니다. 그러면 대화는 어긋나고 관계는 오히려 멀어지게 됩니다.

직장이나 사회에서 상대방을 안다는 것이 단지 을의 위치에 있는 사람이 갑을 알아야 한다거나, 부하직원이 상사를 알아야 한다는 것만을 의미하는 것은 아닙니다. 갑도 을을 알아야 대접을 받습니다. 상사도 부하직원을 알아야 성과를 냅니다. 을의 생각을,

부하직원의 마음을 알지 못하면서 대화를 해봐야 무의미한 결론에 이르게 될 뿐입니다. 직장에서 상사와 부하직원 간에 있어 늘 있는 대화의 부정합 현상을 예로 들어보겠습니다.

팀장이 팀원에게 업무지시를 내립니다. "2023년 매출 계획 보고서를 작성해보세요." 많은 관리자가 이렇게 말하고는 자기 일로 돌아갑니다. 알아서 보고서를 잘 만들겠지라고 착각하면서요. 제대로 된 지시였을까요. 아닙니다. 회사의 전체적인 역량을 깎아 먹는 비효율적인 지시에 불과합니다. 아마 이 팀의 구성원들은 'ver. 01'에서 시작해서 'ver. 18'에 이르는 지루한 보고서 작업에 소중한 시간을 투입해야 할지도 모릅니다.

중간관리자라면 자기가 맡은 조직의 구성원들이 작은 일 하나에도 관심을 가지고 탁월한 관찰력을 발휘할 수 있게 해야 합니다. 팀원이 적절한 시기에 성과를 내게 만들어야 하는 것이 리더의 임무입니다. 윗사람이라면, 선배라면, 리더라면, 대화의 상대인 구성원에게 '제대로 된' 지시를 할 줄 알아야 합니다. 제대로 된 지시란 무엇일까요. 구성원의 생각과 상황을 파악한 다음에야, 즉 상대방에 대해 잘 알고 난 후에 하는 지시일 겁니다.

"2023년 매출 계획은 2022년 대비 130% 성장한 수준으로 정리합시다. 주요 성장 분야는 주말을 이용한 직장인 단기 여행 분야가 어떨까요. 예산과 함께 처리될 비용에 대해서는 일단 계획을 함께 논의한 후에 따로 정리하기로 하고요."

팀장의 지시를 듣는 팀원도 한결 마음이 편할 겁니다. 구성원들이 자기의 자원을 의미 없는 곳에 낭비하지 않을 수 있기 때문입니다. 굳이 따로 회식하면서 치맥을 하는 것보다도, 커피 한잔 마시면서 허심탄회하게 얘기해보라 말하는 것보다도, 이렇게 업무 시간 속에서 팀장이 팀원에게 명확하게 지시를 잘하는 것이 직장에서 서로에게 다가서는 아름다운 말하기라는 걸 잊지 않기를 바랍니다.

어제 통한 말이라도 오늘 다시 통한다는 법은 없다

대화는 늘 새롭습니다. 새롭다는 건 희망을 품지만 다른 한편으로는 리셋reset의 의미도 포함합니다. 작년에 뭔가 잘 이루어진 것이라고 하더라도 올해는 다른 경우가 너무나 흔합니다. 아니, 어제는 말이 잘 통했는데 당장 오늘 갈등이 오는 경우가 오히려 일반적이고요. 조심해야 합니다. 무엇을 조심해야 할까요. 조심의 키워드는 겸손입니다.

예를 들어볼까요. 비즈니스 환경을 두고 한번 잘 되면 끝까지 잘되는 줄로 알고 있는 사람도 있습니다. 그래서 이렇게 말이 헛나옵니다.

"작년처럼 올해도 믿고 있겠습니다."

"에이, 설마요. 별일 있겠습니까? 잘해주실 거면서."

"이미 우리는 파트너 아닙니까. 잘 사용하고 있잖아요. 왜 다른 곳 견적을 받으려고…."

건방진 말입니다. 겸손, 또 겸손해야 합니다. '팔불출八不出'이란 말이 있습니다. 원뜻은 '제 달을 다 채우지 못하고 여덟 달 만에 낳은 아이를 일컫는 팔삭동八朔童이 에서 비롯되었다는 것'이 정설입니다. 온전하게 다 갖추지 못했다 해서 어리석은 사람을 지칭하는 말로서 '좀 모자란', '덜 떨어진', '약간 덜 된' 등을 의미합니다.

그런데 이상합니다. 팔불출이란 말이 그저 어리석음을 말하는 게 아니라 그 사용의 실제 사례는 겸손하지 못한 사람, 즉 잘난 체하는 사람을 의미하니 말입니다. 예를 들어 팔불출 중에서도 첫째가 자기 잘났다며 뽐내는 사람, 둘째가 마누라 자랑하는 사람, 셋째가 자식 자랑이라고 하니 모두 자랑, 즉 겸손하지 못함과 연관이 있습니다.

부족하다는 원래의 뜻이 잘난 척으로 전환되어 사용된 걸 보면 자랑이란 잘 알지도 못하면서 자기의 부족함도 깨닫지 못한, 인격의 부족함을 뜻하는 건 아닐까 합니다. 겸손하지 못함이 관계의 불편함에 한정되는 것일까요. 아닙니다. 자랑이 무서운 것은 자랑은 교만으로 빠져 결국 자신을 망치기 때문입니다.

자기가 가지고 있는 것이 많은데, 사람들 속에 조용히 묻혀 있는 것은 절대 쉽지 않을 겁니다. 사람은 자랑하고 싶어 하고, 인정받고 싶고, 과시하고 싶어 하기 때문이죠. 어렸을 적부터 경쟁에서 뒤지면 안 된다고 배우며 살았고, 다른 사람과의 비교를 통해 당연히 자기 잘남을 과시하는 게 일상이었기 때문에 겸손이란 건 어색할 수밖에 없습니다.

경쟁의 그늘 속에서 잃어버린 겸손을 되찾아야 합니다. 상대방이 볼 때 자랑거리도 아니면서 자기 자랑을 못 참는 무모함은 버려야 하고요. 이제 우리는 이렇게 말할 수 있어야 합니다.

"올해 도와주신 것 감사합니다. 하지만 내년에는 새로운 마음으로 다시 준비하겠습니다."

"이번 일은 감사만 남기고 모두 잊겠습니다. 도전하는 마음으로 시작하겠습니다."

"신입사원이라고 생각하시고 많이 가르쳐 주십시오."

겸손하게 도와달라고 하는 사람이 성공합니다. 이전에 관계가 좋았다고 해도 다시 시작하는 마음으로 상대를 바라보는 모습과 언어가 나와 마주하는 상대과의 관계를 제대로 이어줍니다. 김광석의 노래 중에 「서른 즈음에」라는 노래가 있습니다. 그 노래에 "이제 다시 시작이다. 젊은 날의 꿈이여"라는 가사가 있는데 새로운 시작에 대한 갈증과 희망을 동시에 포함하는 멋진 가사입니다.

젊은 날은 꿈과 같습니다. 잘나갔던 관계 역시 꿈과 같고요. 이미 잘 맺어진 관계라도 일종의 꿈처럼 생각하고, 겸손한 마음으로 이제 다시 시작을 노래해야 합니다. 그러니 이미 무엇인가를 얻었든, 아니면 못 얻어서 마음에 상처만 가득하든, 모두 잊어버리세요. 나쁜 것은 잊어버리고, 만약 아주 작은 것이라도 좋은 점이 있었다면 기억에 남긴 후 겸손하게 말할 수 있다면, 기존의 관계를 잃지 않으면서도 새로운 관계에 한 발 더 다가서게 될 것입니다.

말로 하는 공짜 선물, 감사

칭찬을 받아도 감사할 줄 모르는 사람이 많습니다. 예를 들어 직장인이라면 성과는 티를 내야 하고, 티를 낸 성과에 대해 칭찬을 받으면 악착같이 감사할 줄 알아야 합니다. 그런데 많은 사람들이 이 중 특히 마지막 단계, 즉 감사에 어색해합니다. 아쉽습니다. 감사란 그 어떤 대화에서도 반드시 마무리로 진행되어야 할 과정임에도 소홀히 한다는 점이 말입니다.

저는 자양강장제를 좋아합니다. 자양滋養이란 말은 '몸의 영양을 좋게 함'이란 뜻인데요, 실제로 자양에 도움이 될는지는 모르겠으나 잠시나마 힘이 나는 느낌을 받는 건 사실입니다. 언젠가 자양강장제를 마시면 잠시 힘이 나는 것 같은 느낌이 드는 이유는 그런 제품에 가득 담긴 설탕, 즉 당 성분 때문이라고 하는 말을 듣고 조금 허탈했던 기억이 나기도 하지만요.

감사하는 자세는 상대방에게 다가섬에 있어 자양강장제와 같은 역할을 합니다. 감사는 일종의 말로 하는 선물입니다. 그러니 더 뭔가를 하지 않아도 그냥 말하면 끝입니다. 말로 하는 선물, 이제 입에 붙도록 해보는 게 어떨까요. 중국 인문 고전 『한비자韓非子』에 나오는 말입니다.

"예禮란 감정을 드러내는 방법으로 모든 의로움을 꾸미는 것이다. 왕과 신하, 아버지와 아들 간의 관계를 만들어내고, 귀함과 천함, 현명함과 어리석음을 분별하는 수단이다. 마음속으로만 흠모해서는 상대방이 깨닫지 못하므로 종종걸음으로 달려가 몸을 낮추어 절을 함으로써 그 마음을 나타내는 것이다."

마음속으로만 흠모해서는 어떻다고 했는지요. 상대방이 깨닫지 못합니다. 그래서 어떻게 해야 한다고요? 종종걸음으로 달려가 몸을 낮추어 절을 해야 한다고 하네요. 그 행동 자체가 마음을 드러낸다는 것입니다. 상대를 존중하는 마음이 있다면, 내가 원하는 걸 상대가 갖고 있다면, 궁극적으로 다가서고 싶은 그 누군가가 있다면, 당연히 마음을 행동으로, 혹은 말로 표현해야 합니다.

그런데 우리는 감사의 타이밍을 놓치곤 합니다. 무엇인가 다 끝났을 때가 바로 감사를 전해야 할 때 입니다. 성공했든, 실패했든, 서로를 향해 감사를 말해야 할 시기에 오히려 마음 한구석에

남은 아쉬움을 굳이 말로 표현해서 상대방과의 관계를 멀어지게 하는 것이 그것입니다. 다 끝났다고 말을 쉽게 하는 경우죠.

"끝나긴 했는데 찝찝하네요."

"아시죠? 우리가 손해 본 거."

"문책 당하게 생겼어요. 너무 많이 요구하셔서."

"여기까지 오긴 왔는데…. 정말 피곤했던 건 아시죠?"

실제로 우리가 흔히 하는 말들입니다. 이렇게 말한 적 없다고요? 글쎄요. 아마 쉽게 말하는 우리의 이런 말들은 무의식적으로 나오기 때문에 미처 탐색해내지 못한 것 아닐까 합니다. 어쨌거나 설령 힘들고 어려웠더라도, 아쉬운 마음을 그대로 말해서는 곤란합니다. 굳이 서로의 거리를 멀어지게 하고, 그것도 모자라 마음에 상처를 줄 이유는 없습니다.

감사는 찾아서라도 해야 하는 괜찮은 일이라는 걸 기억해두세요. 누군가의 생일, 승진, 경조사 등을 일정표에 적어놓고 기쁨과 감사의 말 한마디 하는 것으로도 나와 상대방은 가까워질 수 있습니다. 맡고 있는 프로젝트 수주에 성공했다면, 그냥 수주했으니 끝이 아니라 관련 당사자에게 메일이라도 보내서 감사의 마음을 표현한다면 어떨까요?

아마 '모든 게 끝'이 아니라 '이제부터 시작'이 되는 기회를 다시 맞이하게 될지도 모릅니다. 상대방에게 다가서고, 다시 마주하며, 결국 좋은 관계를 얻게 되는 건 당연한 결과일 테고요. 언젠가 이런 말을 들은 적이 있습니다. "유능한 영업사원이 되기 위해서는 단순히 상품을 빛나게 하는 것으로는 부족하며, 고객을 빛나게 해야 한다."

마찬가지입니다. 스포트라이트를 상대방에게 돌리는 감사의 말에 익숙해져야 합니다. 이제 우리는 이렇게 말해야 합니다.

"이렇게 끝나서 너무나 감사한 마음입니다."
"힘들었지만 보람이 있습니다."
"다음에도 저에게 많은 도움을 주셨으면 합니다."

감사의 말이 입에서 편하게 나오게 되었다면 이제 그 감사의 말을 전하는 수준을 높일 때가 된 것입니다. 그냥 '고맙습니다'라는 말로 끝낼 게 아니라, 고마운 이유가 무엇인지에 대해 구체적으로 표현하는 것이 그것입니다. 다음처럼 한번 말해보세요.

당신 : 정말 쉽지 않은 일정이었습니다.
상대 : 저도 그렇게 생각합니다.
당신 : 혹시 진행하는 과정에서 '이것만 잘 되면 더 좋았을 것이다'라고 생각했던 건 없으셨나요.

상대 : 아, 예. 사실 이런저런 점이 원활했으면 좀 더 쉽게 되지 않았을까 합니다.

당신 : 아, 그렇군요. 어려움 속에서도 저를 도와주신 거네요. 고맙습니다.

상대 : 그렇게 생각해주시면 저야 감사하죠.

당신 : 의사결정 과정에서 관련 담당자님을 설득시켜 주신 것, 고맙습니다.

상대 : 에이, 별말씀을.

당신 : 마지막 결론의 순간까지 도와주신 분은 저도 처음 뵙습니다. 제가 행운아입니다.

상대 : 고맙습니다.

고대 철학자 키케로는 "감사는 최고의 미덕이자, 다른 모든 미덕의 아버지다"라고 말했습니다. 평소에 타인에게 미덕을 베풀지 못한 것 같다면, 이제 간단하게 감사의 말 한마디부터 시작해보십시오. 최고의 덕은 감사 그 자체이니까요.

대화는 끝나도 관계는 끝나지 않는다

"당신과 헤어지는 모든 사람이 더 나아지고 더 행복해질 수 있도록 하라."

테레사 수녀님의 말씀입니다. 헤어질 때 헤어짐을 끝으로 생각하지 않고 끝까지 아름다운 관계를 맺으려는 마음가짐이 잘 드러난 아름다운 말입니다. 헤어지는 사람을 향해 행복을 기원해주는 사람, 멋지지 않습니까. 무엇인가를 얻고 나서 오히려 더 다가서는 내가 되는 것, 괜찮지 않습니까.

성공적으로 끝났다고 만족해합니다. 여유가 생깁니다. 배는 부르고 그저 쉬고 싶기만 합니다. 조심해야 합니다. 나와 다른 그 누군가와의 관계는 이제부터 시작이니까요. 현명한 커뮤니케이터는 성과를 얻어낸 바로 그때를 새로운 시작이라고 생각할 줄 압니다. '꺼진 불도 다시 보자'는 격언을 대화의 현장에서 적용할 줄 아는 사람인 것이죠.

대화를 통해 상대방으로부터 무엇인가 큰 것을 얻었다고 해보죠. 얻은 것이 클수록 상대방의 입장을 고려할 줄 알아야 합니다. 소위 '입을 씻는다'라는 표현을 하곤 하죠? 얻을 걸 얻었다고 급격하게 태도를 바꾸는 모습을 보이는 것은 자신의 앞날을 스스로 제한하는 우매한 행동입니다. 세상은 좁습니다. 언제 어디서 다시 만날지 모른다는 것, 아니 안 만나는 것이 만나는 것보다 더 어렵다는 사실을 기억해야 합니다.

회사 등 조직에서 일하는 분이라면 더욱 주의해야 합니다. 중견기업에서 임원을 하던 분께서 이렇게 한탄조로 말하는 것을 실제로 들은 적도 있었으니까요.

"부장 승진 대상자가 있었어요. 이 친구, 승진 시즌이 되자 매일 점심시간마다 저와 함께하려고 하더군요. 저 역시 그 친구의 노력을 그냥 볼 수만 없었던 것도 사실이죠. 좋은 점수를 줬습니다. 그 친구, 회사에서 가장 빠른 연차에 부장이 되었습니다. 그런데 그거 아세요. 그 친구, 승진 발표가 난 바로 다음 날부터 코빼기도 안 보이더군요. 하하하."

그분은 이야기를 계속 이어갔습니다.

"모르겠습니다. 회사에서 그 친구의 목표가 부장이었다면 모르겠지만 더 높은 자리, 아니면 언젠가는 회사를 그만두고 자기 사업을 하려 했다면 그건 실수였습니다. 실제로 부장이 된 지 얼마 지나지 않아 그 친구가 맡은 부서에서 작은 사고가 있었습니다. 그런데 아무도 그 친구를 변호해주지 않더군요. 결국 그다지 중요한 일이 아님에도 그 친구는 회사를 그만두게 되었습니다."

끝날 때까지 끝난 게 아니다라는 말은 비단 전설적이었던 미국 프로야구 선수만 말할 수 있는 게 아닙니다. 오히려 전쟁터와 같은 비즈니스 환경의 대화에서는 더욱 끝날 때까지 끝나는 게 아니라 끝나도 끝난 게 아니라는 점을 꼭 기억해두셨으면 합니다. 인간의 마음이란 배신에 복수의 화살을 겨눕니다. 그 화살에 맞지 않도록 조심하세요.

어려운 시기입니다. 이제 우리는 다가서야 합니다. 다가서서 좋은 성과를 만들고 더 나은 미래를 향해 함께 노력할 수 있어야 합니다. 계속해서 커뮤니케이션하기를 멈추지 말아야 할 이유입니다. 그러니 이제부터 무엇인가를 얻은 바로 그 순간에 커뮤니케이션 상대방을 더 따뜻하게 바라보고 또 도움을 청하면서 함께 하겠다고 해보세요.

"김 대리의 커뮤니케이션 능력은 정말 대단해. 앞으로도 계속 나를 도와줘야 해."

"부장님의 조언 덕분으로 제가 이렇게 승진했습니다. 계속 지켜봐 주셔야 합니다."

"박 차장님이 우리 부서를 떠나면 전략 수립은 누가 하나요. 함께 일해요."

다 얻었다고 생각하는 그 순간에 오히려 상대방을 향해 '당신이 필요하다'라고 말하는 용기, 바로 이 말 한마디가 우리를 상대방에게 진정으로 다가서게 만듭니다.

3장

이어가기

관계의 확장을
이끌어내는 말 연습

본능적으로 내뱉어지는 우리의 말 한마디를 참아내는 건 쉽지 않은 일입니다. 내 감정에 충실하다는 건 상대방의 상황을 이해하고 나서의 일인데, 그 상대방에 대한 이해에 어려움을 겪는 상태에서 내 감정을 자제하게 되면 말 그대로 내 감정에 내가 먼저 지칠 때도 흔하니까요. 하지만 어려워도 우리는 해내야 합니다. 내 감정을 잘 정리해 말하기를, 그리고 상대방의 감정을 잘 고려한 말하기를.

결핍이 내 대화의 자양분이 된다

보릿고개란 말이 있습니다. 햇보리가 나올 때까지의 넘기 힘든 고개라는 뜻으로, 묵은 곡식은 거의 떨어지고 보리는 아직 여물지 않아서 농촌의 식량 사정이 가장 어려운 때를 이르는 말입니다. 언젠가 TV를 보는데 한 할머님이 어느 인터뷰에서 이렇게 말한 것이 기억이 납니다.

인터뷰어 : 한국 전쟁 때 고생 많이 하셨죠?

할머니 : 그럼, 죽을 고비도 여러 번 넘겼어.

인터뷰어 : 할아버지도 먼저 돌아가시고…. 아이들 키우느라 힘드셨겠어요.

할머니 : 말해 뭐해. 팔자인가 했지.

인터뷰어 : 그중에서도 지금까지 제일 힘들었던 게 있다면 무엇인가요?

할머니 : 세상에서 제일 큰 고통? 배고픈 거였어. 배고픔보다 더한 고통은 없어. 그래서 더 열심히 살았지.

할머님께서 말씀하신 보릿고개 시절, 저는 직접 겪은 적이 없어 그 고통을 정확히 알 수 없지만, 배고픔은 최악의 고통 중 하나라는 할머님의 말씀에 깊은 공감의 마음이 듭니다. 실제로 한 해 동안 농사지은 식량을 가지고 다음 해 보리가 날 때까지 견디기가 힘들었던 보릿고개야말로 조상들이 겪은 결핍의 절정이었을 겁니다. 할머님의 결핍은 고통 그 자체였습니다. 하지만 할머니의 마지막 말처럼 결핍은 잘 이해할 수만 있다면 세상에 다가서는 좋은 힌트가 될 수도 있습니다. 결핍을 누군가에게 다가서는 자기 겸손의 기술로 해석해서 활용하자는 것이지요. 이를 위해 우선 결핍이라는 단어를 적극적으로 해석하려는 노력이 필요합니다.

결핍이란 무엇일까요. 결핍은 없는 것에 대한 보충이 필요하다는 뜻입니다. 보다 긍정적으로 이해한다면 새롭게 얻을 것들에 대한 자발적인 갈증이라고도 할 수 있습니다. 실제로 결핍이 없으면 충족도 없습니다. 반면 항상 결핍이 충족된 상태라면 과부하 상태인 것이죠. 그러니 결핍은 부끄러운 게 아닙니다. 자신의 결핍을 숨기려 하는 '바로 나 자신'이 문제일 뿐이죠.

나의 결핍에 대해 알고 있다면 숨길 필요가 없습니다. 그리고 그거 아세요. 결핍을 알리는 것은 상대방에겐 겸손의 자세로 다가설 수 있게 만듭니다. 물론 겸손과 비굴함을 정확히 구분해야 하겠지만 결핍을 겸손의 태도로 바꿔 상대에게 다가서는 대화의 기술을 찾아서 배운 뒤, 실제 상황에서 적절하게 사용한다면 아마 누군가와의 관계를 잘 맺는데 도움이 될 것입니다.

이렇게 자신의 결핍을 오히려 자기 성장의 계기로 만든, 타인과의 거리를 가깝게 만드는 데 사용한 분들은 예상 외로 우리 주위에 많습니다. 결핍을 당당하게 밝히고, 결핍이 자신의 성장에 도움을 줬다고 말하는 국내 최정상의 아티스트가 바로 그들입니다.

언젠가 가수 양희은 씨가 유희열 씨와 대화를 나누던 장면을 봤습니다. 유희열 씨가 양희은 씨를 두고 이렇게 말합니다. "20년 전의 뾰족한 느낌과 달리 지금은 감싸주시는 것 같다." 이에 양희은 씨의 대답은 이랬습니다. "내 소관이 아닌 실패가 있지 않냐. 그런 시련은 인생이 베풀어주는 거다. 결핍만큼 강한 추진력이 없다." 누구나 인정하는 대가수인 양희은 씨지만 분명히 인생에서 결핍과 부족의 시간은 있었을 겁니다. 그것을 두고 '추진력의 근원'이라고 말하는 그 당당함이 보기 좋았습니다.

가수 아이유 씨도 비슷한 이야기를 한 적이 있습니다. 그는 개인 유튜브 채널을 통해 '지은이가 보는 지은이'라는 제목의 영상을 공개했는데 여기에서 그는 "연예인이 아닌 이지은은 어떤 사람인가"라는 질문에 '아이유'라는 역할을 제외하고 나서 남는 부분만 봤을 때 '일 말고 내가 잘하는 게 뭐가 있나'라고 생각하면 정말 없다. 인생에 경험이 많이 없다. 간단명료하게 답하자면 많이 모자란 사람이다"라고 겸손하게 답했습니다.

"그럼 가장 결핍된 부분은 뭐라고 생각하나"라는 질문이 계속되자 아이유 씨는 "일 외엔 모든 면에서 결핍을 느낀다"라고 답을 합니다. 모든 걸 갖고 있다고 생각하는 아이유 씨가 결핍을 느낀다는 말은 그만큼 그 결핍을 자신이 잘 할 수 있는 것을 위한 원동력으로 삼겠다는 의지가 보여서 아름답다는 생각이 들었습니다.

그렇습니다. 우리의 결핍은 당당함으로 고칠 수 있습니다. 타인의 말에 상처받을 필요도 없고, 스스로 괴로워할 이유도 없는 것이죠. 반성과 겸손이 결핍과 연결되어 긍정으로 나아갈 때 세상의 모든 일은 자신에게 이로운 약이 됩니다. 타인에게 한 걸음 더 나설 수 있는 힘이 되지요. 남을 탓한다면? 그 마음 쓰임새 하나하나가 결국 자신을 해치는 흉기가 될 것입니다.

조금 어려운가요? 여전히 '자신의 결핍에 대한 당당함'에 대한 개념이 모호하다면 다음의 세 가지 대화를 한 번 참고해보시는 것도 좋겠습니다.

#1

그래, 나 부족하다. 어쩔래?

제가 부족합니다. 지적해주시고 도와주세요.

#2

제가 원래 말을 좀 험하게 해요.

실수로 말을 험하게 하면 꼭 말씀해주세요. 저의 말투를 고치고 싶습니다.

#3

저야 뭐, 그냥 간신히 회사 다니는 거죠. 그분은 워낙 능력 있는 분이라.

그분은 보고서 작성 능력이 탁월하죠. 저요? 실전 영업은 제가 백배 낫죠.

세 가지 상황 중에서 어떤 말이 자신의 결핍에 당당하고 겸손한 대화인지 감이 오시나요. 다만 하나 유의할 게 있습니다. 나의 결핍에 대해 아무 생각 없이 말하는 사람을 대하는 법에 관한 것입니다. 결론부터 말하면 말이 지나친 사람에게는, 대화의 기본조차 되어 있지 않은 사람에게는 우리의 불편함을 당당하게 표현하는 것도 중요합니다. "그러지 말라"고 얘기해야 하는 것이죠.

나를 지키는 건 아름다운 일입니다. 나의 결핍을 내가 인정하고 그것을 성장의 계기로 삼는 건 좋습니다. 하지만 나의 결핍을 상대방이 이용하려고 한다면 그것에 대해서는 "그렇게 하지 말라"고 말할 수 있어야 합니다. 나를 지키고, 나의 마음을 지키기 위해서라도 말입니다.

내 감정을 충실히 담아 말하는 법

2003년에 개봉된 영화 「이퀼리브리엄Equilibrium」을 뒤늦게 보게 되었습니다. 줄거리는 대략 이렇습니다.

제3차 세계대전이 일어난 후 '리브리아'라는 국가가 생겼다. '총사령관'이라 불리는 독재자가 통치하는데 일상생활을 하는 국민의 표정이 모두 한결같다. 아무런 감정도 느끼지 못하는데 그 이유는 '프로지움'이라는 약물에 의해 통제되기 때문이다. 이 약물은 사람에게 기쁨, 사랑, 증오 등 어떤 감정도 느끼지 못하게 만든다. '리브리아'의 특수요원들은 인간의 감정을 느끼기 위해 '프로지움' 투약을 거부하는 사람들을 불구덩이로 밀어 넣는다.

영화 제목인 '이퀄리브리엄'은 마음의 평정을 뜻하는 말입니다. 하지만 영화에서 이 단어는 역설적으로 사용되고 있습니다. 프로지움이란 약을 통해 인간의 마음은 평정을 찾았으나 그와 동시에 사람으로서의 개성과 인격은 빼앗긴 채 독재자의 꼭두각시가 되어버리거든요. 감정이 빠진 관계의 허무함을 느끼게 되는 영화였습니다.

우리의 말도 마찬가지 아닐까요. 나와 다른 누군가에게 다가서려면 말에는 사실, 팩트만 있어서는 곤란합니다. 말에는 적절한 감정의 삽입이 필요합니다. 소위 '필feel'이라는 게 있잖아요. 두 사람 간의 인간관계에 있어 구구절절한 말보다도 이 필 하나가 더 중요한 경우가 많습니다. 그러니 말을 할 때는 자신의 감정을 조금씩 넣어보세요. 긍정적인 경우라면 듬뿍 넣어도 됩니다. 직장인을 예로 들어 말씀드려볼게요.

"서류 포맷을 이렇게 완성하다니! 내 업무에도 도움이 되겠어. 마음이 놓이는데? 고마워."

"멋졌어. 그 상황에서 나도 당황했는데 적절한 말이었어. 구사일생이야. 이제 오케이!"

"이 정도일 줄은 몰랐어. 다른 부서에도 전파해야겠어. 나는 미처 생각하지 못했어."

감정을 드러내니 말에서도 좀 더 인간적인 모습을 느낄 수 있지 않나요. 인간적인 모습을 갖지 못한 말은 뭔가 건조합니다. 거리감이 느껴지고요. 포커페이스는 친구들과 장난삼아 마피아 게임을 할 때나 쓸 일입니다. 물론 세상이 각박하다 보니 표정에 감정이 없는 포커페이스가 유행인 시대이긴 합니다만, 우리의 대화만큼은 포커페이스를 살짝 내려둬도 괜찮습니다.

물론 그렇다고 해서 나쁜 감정을 함부로 표현하거나 더 나아가 상대방의 감정을 상하게 하는 말 한마디로 관계를 망쳐서는 곤란합니다. 특히 문자메시지나 메신저 등으로 말을 나눌 때 상대방은 문장 속의 어느 한 단어만으로도 얼마든지 감정을 상하게 된다는 걸 기억해야 합니다. 이렇게 말한 분이 있었거든요.

"그동안 좋은 관계라고 생각하면서 잘 알고 지낸 사람과 최근 감정 상한 일이 있었습니다. 약간의 말다툼이 있었는데 그 후에 서로 다시 관계를 잘 회복해보고 싶었어요. 그래서 먼저 말을 건네려고 카카오톡 채팅을 이용했습니다. 그런데 이상하게 글로 서로의 생각과 감정을 주고받으면서 오히려 관계는 더 나빠졌습니다. 저도 그렇고 상대방도 그렇고. 분명히 의도가 그런 건 아닌지 알겠는데 단어 하나가 마음에 걸려 그걸 두고 티격태격하다가 결국 관계가 더 나빠졌습니다."

결국 대화가 끝난 뒤 서로 만나지도 않고 말도 안하는, 아예 냉랭한 관계가 되었다는 게 이분의 말씀이었습니다.

그렇습니다. 감정을 드러냄에 있어 글로 상대방에게 전달하는 건 매우 복잡하고 어려운 일이라는 걸 염두에 둬야 합니다. 문장 속에 단어 하나가 모든 걸 망칠 수도 있습니다.

말하는 태도가 문제인 경우도 많습니다. 나름대로 논리적이라고 자신의 말하기를 평가하는 사람들이 자주 겪는 실수죠. 상대방의 이야기에 대해 모두 원인과 결과로 나눠서 문제점을 찾으려는 바람에 지적하고 가르치는 태도로 상대방에게 말하는 경우가 그것입니다. 그냥 상대방의 마음을 받아줘야 하는데 바로 그냥 마음 받아주기가 잘 안 되는 것이죠.

물론 본능적으로 내뱉어지는 우리의 말 한마디를 참아내는 건 쉽지 않은 일입니다. 내 감정에 충실하다는 건 상대방의 상황을 이해하고 나서의 일인데, 그 상대방에 대한 이해에 어려움을 겪는 상태에서 내 감정을 자제하게 되면 말 그대로 내 감정에 내가 먼저 지칠 때도 흔하니까요.

하지만 어려워도 우리는 해내야 합니다. 내 감정을 잘 정리해 말하기를, 그리고 상대방의 감정을 잘 고려한 말하기를.

이제 우리의 말에 위로와 공감이 가득하기를 바랍니다. 논리로 사람을 설득하는 것도 좋으나, 논리 하나만으로 세상을 장악하려는 어리석음은 버려야 합니다.

당장은 어렵더라도 일상에서 문득 '비논리적'이지만 긍정적 감정에 충실한 말을 건네려고 노력하세요. 상대방의 환경을, 상대방의 감정을 잘 살펴보면서 말이죠. 어느새 우리는 나와 다른 누군가와 웃으면서 마주하고 있음을 발견하게 될 것입니다.

대화도 가끔은 쉬어야 한다

말에도 쉼이 필요합니다. 잘 쉬어야 잘 말할 수 있습니다. 대화란 상당한 에너지가 필요하기에 끊임없는 말은 몸과 마음을 지치게 합니다. 잘 쉴 줄 모르는 사람치고 일 잘하는 사람이 없듯이 잘 쉬어갈 줄 모르면서 잘 말하는 사람 역시 없습니다. 「끝장토론」이라는 TV 프로그램이 있었는데 그 취지는 괜찮다고 생각함에도 제목 자체의 잔인함은 마음에 들지 않았던 이유입니다.

누군가에게 다가서기 위해서는 말을 하는 것도, 말을 들어주는 것도 가려서 해야 합니다. 저는 이를 두고 '쉼의 대화'라고 명명하고 싶습니다. 쉼의 대화 없이 양질의 대화는 기대하기 어렵습니다. 쉬지도 않고 일만 한다면 어디에서인가는 허점이 있을 터, 마찬가지로 끝도 없이 말을 하는 것, 그리고 그 말들을 끝도 없이 들어주는 것 모두 자신의 몸과 마음을 희생하는 일입니다.

상대방을 향한 경청의 마음, 다가서려는 공감의 태도, 모두 좋습니다. 하지만 그것이 자신의 영혼을 희생하는 것이어서는 곤란합니다. 대화에도 휴식이 필요한 것이죠. 휴식은 새로운 시작을 위해 필요한 것인데, 대화 역시 마찬가지입니다. 지금 하는 일을 보다 잘되게 하고 싶다면 대화에서 자기만의 쉬는 시간을 확보하길 바랍니다. 잘 쉬고 난 후의 말이 우리에게 좋은 성과로 보상할 테니까요.

물론 대화에서의 휴식이란 갑자기 상대방과의 대화를 끊고 어딘가로 숨어버리는 것을 의미하지는 않습니다. 그건 도피일 뿐입니다. 대화에서의 잠시 쉰다는 것은 그런 수동적이고 소극적인 것이 아니라 오히려 더 나은 관계를 만들고자 하는 잔잔한 노력입니다. 쉼의 대화가 폐쇄적인 대화의 태도를 의미하는 건 절대 아님을 기억해두세요.

그렇다면 대화에서의 휴식에는 어떤 모습이 있을까요. 예를 들어 볼까요. 한가한 주말 저녁 시간입니다. 오랜만에 집 근처 공원으로 산책을 나섰습니다. 사랑하는 자녀와 배우자와 함께 말입니다. 그때 핸드폰에 진동이 옵니다. 카카오톡 채팅입니다. 당신이 졸업한 대학교 학부 그룹에서 초대한 겁니다. 들어가 보니 50명 이상이 모여 있습니다.

대화가 시작됩니다. '오랜만이네?'라는 무미건조한 인사말을 들은 것도 잠시, 당신의 상황과 관계없이 '월요일 주식은 어떨 거 같으냐?' '누구는 이번에 임원이 됐어!' 등 별별 얘기가 난무합니다. 사랑하는 사람과의 주말 저녁 나른한 산책, 그 평화를 깬 온라인 대화방. 그 좁은 창에서 에너지를 소진하고 싶은가요.

저라면 이렇게 말하겠습니다. "지금 급한 일이 있어서…. 나중에 다시 들어올게." 그리고 알림을 꺼놓겠습니다. 이후에 그 대화방에 들어가서 내 인생의 성장에 도움이 될 것이 있다면 그대로 머무르면서 이야기를 나누겠지만 별다른 이야기 없이 자기 자랑, 나의 일상의 평화를 깨뜨리는 너저분한 이야기만 가득하다면 대화방에서 나가기를 과감하게 선택하겠습니다.

왜냐고요. 제 일상의 시간을 잡다한 일들에 낭비하고 싶지 않아서입니다. 물론 편하게 바라볼 수도 있을 겁니다. 그때는 그냥 머무르면서 이런저런 이야기를 나누면 됩니다. 하지만 조금이라도 저 자신의 정신건강에 도움이 되지 못하는 이야기만 난무한다면 굳이 저의 에너지를 그곳에서 낭비할 필요는 없다고 생각합니다. 그게 바로 대화의 휴식을 스스로 지키는 저만의 방법입니다.

이런 경우는 비일비재합니다. 비즈니스 관계로 누군가를 만났습니다. 그와 대화를 하는데 비즈니스 본질이 아닌 엉뚱한 이야기가 대화의 소재가 되는 경우가 있습니다.

다음 대화를 한 번 들어봅니다.

상대 : 그거 봤어요. '런닝맨'에서 유재석이,

당신 : 와, 정말 재밌습니다. 저도 그렇게 생각해요.

상대 : 그렇죠. 하하하. 맞다. 어제 종편을 봤는데,

계속해서 어제 본 TV 얘기를 하려는 상대에게 당신이라면 어떻게 대응하겠습니까. 언제까지 대화의 본질에서 벗어난 시시껄렁한 이야기에 호응해주겠습니까. 저라면 이렇게 말하겠습니다.

"아, 문자메시지가 왔는데, 이사님께서 이번 건의 진행 프로세스가 궁금하다고 하시네요."

이런 식으로 외부의 상황이 상대의 시시껄렁한 말에 호응할 수 없음을 인식시킬 겁니다.

지금 왜 대화를 하고 있는지 상대방이 인식하게 만들어야 합니다. 이건 당신뿐만 아니라 상대방을 위한 일이기도 합니다. 대화의 본질에 몰입하여 성과를 내고 불필요한 시간을 낭비하지 않아 결국에는 서로 휴식의 시간을 좀 더 늘릴 수 있게 될 테니까요. 가족을 위해서, 그리고 당신을 위해서, 결국에는 당신의 상대방을 위해서라도 솔직하게 당신의 마음을 말씀해보세요.

대화는 열심히 하는 게 아니라 잘하는 것입니다. 이를 위해서라도 대화의 환경을 잘 관찰해야 합니다. 대화가 핵심을 놓치고 시시껄렁한 이야기로 흐르면서 주변에서 머무르는 경우라면 바로 잡아주세요. 그게 대화의 휴식이고, 대화의 역량입니다. 상대

방을 멀리하지 않으면서도 적절하게 다가서는 말하기의 기술이기도 하고요.

춤에는 슬로slow와 퀵quick이 있다고 합니다. 우리의 말하기가 상대방의 일방적 요구로 인해서 엉뚱한 주제로 흐르게 될 때, 즉 '원하지 않는 퀵의 대화'가 될 때 이를 '원하는 방향으로의 슬로 대화'로 전환할 수 있는 몇 가지 말하기 방식을 마음에 담아두세요. 그렇다면 좋은 관계를 유지하면서도 자기 자신을 스스로 방어할 수 있으리라 생각합니다.

상대방에게 주도권을 넘겨주는 대화가 좋은 대화다

중학교 선생님의 이야기를 들었습니다. 그분은 선생님이라는 직업이 평소 말하기에서 부정적으로 드러날 때가 있다고 합니다. 예를 들어 학생들과 중국집에 가서 음식을 시킬 때 한 학생이 볶음밥을 주문하면 "중국집에서 볶음밥 먹는 거 아니야. 중국집은 역시 짜장면이나 짬뽕이지!"라면서 상대의 취향을 무시하고 자기 의견을 무리하게 내세운다는 것이었습니다.

그분은 상대의 취향을 인정하지 않는 대신 아예 상대의 의견에 무관심해질 수 있는 방법을 찾았습니다. 둘 다 참 어려운 일이라고 생각합니다. 모두 취향이라는 것이 각자 개개인에 따라서 다른 것이 분명한데도 그걸 망각하고 말하고 또 행동하는 경우가 많았던 경험이 분명히 있을 겁니다.

대화를 통해 상대방을 마음대로 하고 싶으시죠? 사실 저도 그랬습니다. 맞습니다. 솔직히 말씀드리면 대화의 목적은 내가 원하는 걸 얻기 위해서이기에 그런 것 같습니다. 하지만 서두르지 말아야 합니다. 통제력을 발휘하고 싶은 건 좋지만 그 마음속 생각이 상대방에게 그대로 전달되어서는 곤란합니다. 우리 역시 누군가로부터 통제받는 입장이라면 불쾌할 겁니다.

상대방에게 대화의 주도권이 있음을 느끼게 하는 대화법에 대한 결론을 도출해봅니다. 상대방을 지배하려는 모습이 드러나는 걸 조심해야 하고, 오히려 상대방이 통제권을 쥐고 있다고 생각해야 합니다. 물론 이 과정이 쉽지는 않습니다. 하지만 작가 프란츠 카프카가 했던 "죄악을 가져오는 심각한 두 가지 실수로 게으름, 그리고 성급함이 있다"라는 말처럼 서두르면 망칩니다. 대화도 마찬가지입니다.

무엇인가를 말하는 것은 에너지가 소모되는 일입니다. 그러니 입을 열어 본격적인 대화에 들어가는 순간, 우리는 '내가 가진 것을 보여주고 싶다. 모든 것에 대해 한꺼번에 말하고 싶다. 빨리 끝내고 싶다'라는 조급한 마음에 사로잡힙니다. 말 몇 마디 나누지도 않고서는 마치 모든 결론이 난 것처럼 행동하고 싶습니다. 이왕이면 대화의 주도권을 놓치고 싶지도 않습니다.

이때가 경계해야 할 때입니다. 무엇인가를 얻고자 하는 우리의 이야기에 상대방이 어느 정도 준비가 되었는지 확인하는 게 중요합니다. '그래? 당신의 말을 한번 들어나 볼까?'라고 생각하는 상대방의 모습, 즉 '들어볼까?'라는 신호에 대해 '들어준 것'으로 착각해선 곤란합니다. 이렇게 잘못 해석하면 상대방에게 조급증 환자처럼 보이게 됩니다.

사실 제가 그랬습니다. 오랫동안 고객과 협력업체와 함께 일을 하는 입장에 있던 저도 기다리지 못했고 또 성급하게 말했던 경우가 많았습니다.

나 : 어떠신지요. 제안이 괜찮습니까?

상대 : 마음에 듭니다. 좋은 파트너가 될 수도 있겠습니다.

나 : 그래요? 제가 그럴 줄 알았습니다. 그럼 타 업체 비교 견적은 없는 거죠?

상대 : ….

나 : 사무실에 들어가서 신청서 보내드릴 테니 날인해서 주세요.

상대 : ….

생각해보면 참으로 급하기 이를 데 없는 대화 태도였습니다. 더 나쁜 건 이런 제 말에 상대방이 조금이라도 머뭇거리는 걸 보면 견디지 못했다는 겁니다. 빠른 것은 결국 문제를 일으키기 마련입니다. 상대방으로부터 결론을 빨리 얻으려다가 상대방의 미움을 사기도 하고요. 내가 대화의 주도권을 쥐고 있다는 것에 대한 쾌감에 상대방의 상황을 조심스레 살피지 못하는 경우, 혹시 없으신지요.

대화를 한다는 건 하나의 이슈에 대한 미묘한 권리득실의 쟁탈전이라고 할 수 있습니다. '누가 과연 그 이슈에 대해 통제력을 갖고 진행하는가', 이 문제가 대화의 내용 그 자체보다 더 중요할 때도 있습니다. 현명한 사람은 자신이 얻을 것을 모두 얻어내면서도 말하기의 통제권을 상대에게 있는 것처럼 대화를 진행합니다.

혹시 '자기 마음대로 하려고 해'라는 말을 듣는 경우가 많은가요? 그렇다면 조금은 조심해야 합니다. 이런 말이 있습니다. "유혹을 당하는 사람이 마치 유혹하고 있다는 착각을 주는 것이 바로 제대로 된 유혹의 비결이다." 그렇습니다. 누군가가 자신을 통제하려 드는 느낌이 드는 순간, 그 통제를 벗어나려 하는 게 인지상정임을 기억해야 합니다.

혹시 우리는 그동안 말하기의 통제권을 여유롭게 넘겨주는 데 인색했던 것은 아니었을까요. 토론도 그냥 토론이 아니라 끝장토론을 해서 승부를 가려야 속이 풀리는 게 우리 아니었던가요. 하지만 진짜 이기고자 한다면 주도권을 넘겨줄 수 있어야 합니다. 나그네의 털옷을 벗기기 위해서 구름이 아무리 비를 뿌리고 바람을 불게 해도 결국 승리자는 따뜻함으로 옷을 벗게 만든 해였다는 우화를 기억하면서 말입니다.

대화에 관해서는 절대 나 혼자 이기는 상황을 만들어선 안 됩니다. 이를 위해 다음의 두 가지를 기억했으면 합니다. 첫째, 대화에서 혼자 크게 이길수록 상대가 느끼는 마음의 상처는 크다. 둘째, 압도적으로 승리할수록 상대방과의 관계는 앞으로 더 많은 어려움을 겪을 수 있다.

비즈니스 환경뿐인가요. 가족과 외식하러 갔다고 해볼까요. 누군가가 "뭐 먹을까?"라고 말했습니다. 이때 굳이 먼저 나서 "여긴 짜장면이 맛있어!"라고 말하지 마세요. 조용히 당신의 것을 시키면 됩니다. 누군가 추천 메뉴를 나에게 물어본다고 해도 "여긴 짜장면도 짬뽕도 다 괜찮아" 정도로만 말하면 됩니다. "나도 뭐 먹어야 할지 모르겠는데 네가 고르는 걸로 나도 먹을게"도 괜찮은 말하기 방법입니다.

참고로 한 제약회사에서 인정받는 영업사원의 이야기를 들은 적이 있습니다. 그는 고객과 약속을 할 때는 절대 하나의 시간을 택해서 말하지 않는다고 했습니다. 그게 예의라고 하더군요. 그래서 이렇게 말한답니다.

"실장님, 혹시 내일이나 모레 오후 중에 시간이 되시나요? 시간은 정해주시고요. 만약 둘 다 힘드시면 차주에 날짜 한두 개 말씀해주실까요?"

영리한 대화법입니다. 상대방이 먼저 다가올 수 있게 만드는, 예의 바른 말투입니다. 상대방이 선택할 수 있게 하는 것, 이를 우리의 말하기로 받아들여야 합니다. 말하기의 주도권을 갖지 않아도 상대방과 가까워지고 더 나아가 함께 마음을 나누며 관계를 이어나갈 수만 있다면, 그깟 말하기의 통제권 정도는 상대방에게 넘겨도 괜찮지 않을까요.

대화의 고수는 어떻게 말할까?

만년 꼴찌인 학생에게 공부 자신감을 생기게 하는 방법은 긍정적 생각이 아니라 공부를 통해 얻게 된 성취 경험입니다. 특히 '지금 그리고 여기'에서의 성공 체험이 중요합니다. 학교에서 성취하지 못했다면, 학원에서 한 과목이라도 잘하고 나야 비로소 공부 엔진은 탄력을 받습니다. 우리의 말하기도 마찬가지입니다. '지금 그리고 여기'에서 말 한마디를 잘함으로 상대방과 관계가 좋아지는 경험이 우리의 말하기를 업그레이드합니다.

"미래는 현재 우리가 무엇을 하는가에 달렸다." 마하트마 간디의 말입니다. 그의 말처럼 미래에 우리가 세상과 맺는 관계는, 현재 우리가 어떻게 말하느냐에 달렸습니다. '지금, 여기'에서 우리가 말하는 내용과 형식이 미래의 내용과 형식을 만듭니다.

물론 우리 주변의 상황이 답답한 경우도 많습니다. 맞지 않는 사람과 상대하고 싶지 않음에도 어쩔 수 없이 늘 마주해야 하는 직장, 일터 등이 바로 그런 것이죠.

많은 사람이 함께 일하는 일터와 직장에서는 필연적으로 나와 다른, 즉 내가 이해하기 힘든 사람과도 대화할 수밖에 없습니다. 지위를 이용해서 거친 말을 함부로 하는 상사, 나의 감추고 싶은 사생활을 마치 심심풀이 오징어땅콩처럼 여기면서 말하는 동료, 어제 말한 내용에 대해 언제 그랬냐는 듯이 다른 말을 하는 후배…. 이들과 얼굴을 맞대고 말해야 하는 건 언제나 괴롭고 힘든 일입니다.

그래도 잘하고 싶은 우리입니다. 어떻게 말해야 할지 고민하고, 또 고칠 수 있는 건 개선하면서 말 한마디를 조심하려고 합니다. 그런데 문제가 있습니다. 나만 잘하면 되는 것이 아닌 게 바로 말하기이기 때문입니다. 누군가와 대화를 통해 주고받는 궁극적인 핵심은 대화가 상대방의 성장에 얼마나 공헌하는지의 문제가 아닐까 합니다.

직장에서, 특히 말로 성과를 창출해내는 사람들은 아마 판매나 영업 분야에서 일하는 분들일 겁니다. 이분들이야말로 상대방, 즉 고객의 성취에 공헌하는 말 한마디에 익숙해야 합니다. 비즈니스 환경이라면 상대가 미래에 자신의 업무 영역에서 도움이 될 수 있는 말을 건넬 수 있어야 합니다. '나의 성취'가 아닌 '상대방의 성취'에 고민하는 말하기일 겁니다.

인사이트insight와 포어사이트foresight라는 말이 있습니다. 인사이트는 통찰력, 이해의 사전적 의미를 담은 말인데, 다양한 정보들을 분석하고 이를 체화해 내 것으로 만드는 것입니다. 인사이트에서 한 걸음 더 나아간 개념을 담은 말이 포어사이트입니다. 예지력, 선견지명이란 뜻을 가진 이 단어는 상상하고 예측해 구체화, 현실화하는 것을 의미합니다.

자신이 얻고자 하는 걸 얻어내는 말하기를 '인사이트를 지닌 사람의 말하기'라고 한다면 우리는 여기에서 한 걸음 더 나아가 말하기의 수준을 높여보자고 제안하고 싶습니다. 인사이트를 넘어서 상대방이 원하는 바를 찾아내는 수준이어야 한다는 것이죠. 상대방이 생각하지 못했던 것들에 대해서 제안할 수 있는 말들, 즉 '포어사이트를 지닌 사람의 말하기'를 해야 합니다.

이제 대화에서 인사이트를 지닌 말하기와 포어사이트를 지닌 말하기의 관점이 어떻게 다른지에 대해 고민해보기로 합니다. 어떻게 상대방에게 다가설 수 있는 말을 좀 더 잘할 수 있을지 생각해보는 것이죠. 비즈니스 커뮤니케이션 대화에서 힌트를 한번 찾아보겠습니다.

20년 이상 영업 분야에서 활약했던 분의 이야기입니다. 참고로 그분은 수많은 고객을 모셨고 100명에 가까운 영업사원을 이

끄는 임원으로 재직 중인 대화의 고수입니다. 어떻게 말을 해야 고객을 자신의 편으로 만들 수 있을지는 영업 분야의 임원에 오른 요즘에도 어려운 과제라고 하더군요. 영업하면서 그는 사람 간의 말의 흐름에 대해 늘 관심을 두고, 특히 성공적인 커뮤니케이션에 대해 고민한다고 합니다. 그는 상대를 설득하기 위한 자기 나름의 말하기에 대해 제게 이렇게 설명했습니다.

"지금 존재하는 상품만을 들고 고객을 찾아가 권유한다면 그는 가장 낮은 수준의 영업사원입니다. 진정으로 최고의 영업사원이 되려면 고객이 미래에 원하게 될 상품을 발굴해서 제품화한 후 그것을 고객에게 제안하는 수준이 되어야 합니다. 고객보다 더 고객의 요구사항을 잘 알아야 하는 거죠. 어떻게 아느냐고요? 공부하는 거죠."

사실 이분의 말을 듣고 마음으로는 다소 의아했습니다. '말이야 쉽지. 그게 어디 가능한가. 내가 고객 회사의 구성원도 아닌데'라고 말입니다. 지금은? 저의 철없던 생각을 반성합니다. 저는 다음의 두 가지를 간과했던 것입니다.

먼저 외부에서 고객을 바라보는 역할을 적극적으로 할 수 있는 사람이 영업사원이라는 것을 몰랐습니다. 이제 기업이 제품을 일방적으로 만들어서 소비자에게 판매하는 시대는 지났습니다. 미리 소비자의 생각을 읽어서 제품을 만들어 제공해야 합니다. 영업사원이라면 자신이 담당하는 회사의 제품에 대해 외부 고객의 관점에서 판단할 수 있어야 합니다. 이것이야말로 인사이트를 넘어선 포어사이트인 것이죠.

다음으로 영업사원이 고객 담당자보다 고객 회사 내부 사정을 잘 알 수 있다는 이유를 간과했습니다. 사실 일반적으로 한 회사의 구성원은 자기가 맡은 업무에만 몰두합니다. 다른 부서의 사람과는 함께하기가 쉽지 않은 것이죠. 기업의 규모가 클수록 그 강도는 더할 겁니다. 하지만 그 고객을 담당하는 영업사원이라면 어떨까요? 고객으로 관리하는 회사의 다양한 분야의 사람들과 이야기를 나눌 수 있습니다. 서비스 부서, 고객 만족 부서, 회계 혹은 구매, 기술 및 개발 부서 등 여러 조직의 사람들을 골고루 만날 수 있는 거죠.

그 기회를 잘 활용한다면? 실제로 앞에서 언급한 임원분은 영업사원으로 이름을 날릴 때 고객으로부터 이런 말을 꽤 많이 들었다고 합니다.

"어떻게 박 과장님은 저보다 우리 회사 돌아가는 분위기를 더 잘 아세요?"

"우리 회사의 미래 전략에 대해서는 영업사원인 박 과장님이 더 잘 아시는 것 같아요."

"혹시 우리 회사 전략팀에서는 우리 부서에 대해 어떻게 생각하고 있는지 말해주실 수 있으세요?"

미래에 우리가 맺는 관계는 이처럼 인사이트를 넘어선 포어사이트를 지닌 세심한 말하기에서 비롯됩니다. 이러한 말하기에 익숙해지면 내가 사람을 찾아 나서는 게 아니라 세상이 나를 찾아 나서게 됩니다. 그 사람이 바로 당신이기를 기대합니다.

다음을 기약하게 만드는 한마디

기우제는 비가 와야 할 시기에 가뭄이 계속되면 하늘에 비가 오기를 간절히 바라는 마음에서 하는 예전엔 3~4년에 한 번씩 한재旱災, 즉 가뭄으로 인해 생기는 재앙을 당했다고 합니다. 한 해 농사의 성패를 좌우하는 게 비였으니 기우제는 연중행사였으며, 가능한 모든 방법을 동원했다고 합니다.

우리 조상들뿐인가요. 미국 애리조나주에 사는 원주민들 역시 농사를 지을 때 비가 안 오면 기우제를 지냈다고 합니다. 이들이 기우제를 지내면 반드시 비가 내렸다고 하는데요. 그 비결은 비가 내릴 때까지 기우제를 지내는 것이었습니다. 이 이야기는 워낙 유명해서 인디언 기우제라는 말이 따로 있을 정도입니다. 어리석어

보이기도 하지만 한편으로는 그 간절함이 대단해 보입니다.

저는 우리 조상들이나 미국 원주민들의 기우제를, 그저 하늘에 무작정 빌기만 하는 소극적인 의식으로 바라보고 싶지 않습니다. 비가 오지 않을 때 좌절하고 낙담하지 않고 다른 방법을 써서라도 최선을 다하겠다는 인내심을 수반한 적극성이라고 생각합니다. 우리의 대화도 마찬가지 아닐까요. 상대방이 다가오지 않는다고 해서 포기하기보다는 작은 것 하나라도 실행해보는 게 어떨까 합니다.

대화에도 기우제가 필요합니다. 내가 할 수 있는 그 무엇이라도 해보겠다는 마음가짐이 요구됩니다. 그냥 가만히 있는 게 아니라 무엇이라도 해보겠다는 마음가짐, 저는 이것을 '대화의 여유'라고 생각합니다. 대화에 있어서 기우제, 굳이 말을 붙여본다면 '커뮤니케이션 기우제'는 상대방에 대한 신뢰를 바탕으로 한 우리의 여유로움에서 시작됩니다. 기다림을 모르는, 조급한 대화와 결별할 때입니다.

예를 들어 볼까요. 직장인인 당신, 파트너 회사의 담당자에게 나름대로 좋은 제안을 했습니다. 하지만 상대방의 반응이 영 미지근합니다. "좋은 제안이었습니다. 그런데 고맙지만 지금 당장은 결정을 내릴 수가 없습니다. 어쩌죠?" 이때 당신이라면 어떻게 대답하겠습니까. 예전의 조급했던 저는 이렇게 대답하곤 했습니다. "왜요, 무슨 문제가 있나요? 뭘 더 원하세요? 그냥 결정하시죠."

그때 저는 알아채야 했습니다. 내가 다가선 만큼 상대방은 뒤로 물러서고 있음을 말입니다. 그리고 이제 한 가지를 기억하려고 합니다. "기다리되, 기다리게 하지 말자."

이는 '나는 기다리되 상대방은 기다리게 하지 않는다'라는 마음가짐입니다. 인디언 기우제의 마음으로 상대방을 기다리는 인내심을 갖되, 상대방에게 기다리게 하지 않는 태도가 필요한 것이죠.

지금의 저라면 이제 "좋은 제안이었습니다. 그런데 고맙지만 지금 당장은 결정을 내릴 수가 없습니다. 어쩌죠?"라는 말에 이렇게 답할 수 있을 것 같습니다. "아닙니다. 괜찮습니다. 오히려 저희에게 시간을 내주시고 제 이야기를 들어주신 것만으로도 감사합니다." 저의 제안이 설령 이번에는 실패로 돌아갔을지라도 이렇게 다음을 기약할 수 있는 말을 하겠습니다.

물론 이러한 대화의 태도를 상대방에게 강요해선 곤란할 겁니다. 상대에게 원하는 걸 얻고자 한다면 상대방이 저의 답변을 기다리는 시간이 길어서는 곤란합니다.

은행에 가면 가끔 이런 상황을 볼 때가 있습니다. 갑자기 고객 한 분이 자신의 순서도 아닌데 "제가 급해서 그런데, 이거 좀 확인해주세요"라고 말하는 경우가 있죠. 이때 당신이 창구의 은행원이라면 어떻게 말하겠습니까. 저라면 아마 이렇게 말했을 겁니다. "아이, 참. 순서를 기다리세요. 여기 번호표 뽑고 기다리는 분들 안 보이세요?"

제가 하는 말은 분명 틀린 말은 아닙니다. 하지만 잘한 말도 아닙니다. 상대방에게 불쾌감을 유발하고, 그것으로 인해 또 다른 시빗거리를 만들 수도 있는 위험한 말입니다. 아 다르고, 어 다르다고 하지 않습니까. 같은 의미라면 이렇게 말하면 어떨까요. "급하시겠지만 오늘 유난히 고객님들이 많네요. 순서대로 기다려주시면 잘 처리해드릴게요."

"만사는 끈기 있게 기다리는 자에게 찾아온다." 언어의 연금술사로 불리는 미국의 시인 헨리 워즈워스 롱펠로의 말입니다. 그의 말처럼 기다릴 수 있어야 합니다. 하지만 무작정 상대를 기다리게 해서는 안 됩니다. 어쩔 수 없이 기다리게 되는 상황이 생길 때는 상대가 무엇을 필요로 하는지 확인하고 공감과 함께 "알아보겠다", "찾아보겠다"라는 말을 꼭 해야 합니다. 상대방에게 한걸음 더 다가서기 위해서라도요.

화낼 시간을 선물해보자

대화를 잘한다고 소문난 분이 있습니다. 그분에게 언젠가 저의 고민을 물어봤습니다. "제가 잘못한 일이 있을 때 상대방의 분노를 어느 정도까지 받아들여야 할지 모르겠습니다."

아무래도 저 역시도 대화를 통해 성과를 내야 하는 일을 하다 보니 누군가의 이의제기, 불평, 불만에 익숙해져야 하는데 그게 힘들었기 때문에 고민을 털어놓았습니다.

그분의 대답은 이랬습니다.

"분노는 귀담아들을 만한 가치 있는 신호입니다."

언뜻 수긍이 되었습니다만, '그래서 어떻게?'라는 의문이 들더군요. 그분의 말씀은 계속되었습니다. "그러니 화가 멈출 때까지 말할 시간을 상대방에게 주세요."

이 말을 여러분은 어떻게 생각하시는지요. 말싸움으로 에너지를 낭비하는 경우는 우리에겐 늘 있는 상황입니다. 대화를 통해 가까워지기는커녕 오히려 시간 낭비, 에너지 낭비, 감정 낭비에 이르고, 결국 관계가 어긋나게 되는 경우가 허다합니다. 솔직히 말해 나와 다른 타인에 대한 이해라는 것은 절대 만만한 일이 아닙니다. 상대에 대한 이해는 힘들고, 나는 상대에게 이해받고 싶고….

서로 다른 사람이 서로 이해를 주고받다 보니 불필요한 감정이 생기고 다툼이 발생합니다. 내가 소위 갑의 위치에 있는 사람이라면 속 편하게 윽박지르고 끝날 수도 있습니다. 하지만 대부분의 우리는 을의 위치가 아니던가요. 상대방의 갑작스런 화풀이에 일방적으로 당한다는 느낌에 감정이 상하게 되는 경우가 압도적으로 많습니다. 이럴 때엔 어떻게 해야 할까요? 다음 두 가지를 기억하면 좋겠습니다. 첫째, 분노를 상대방의 감정 신호로 받아들인다. 둘째, 분노가 멈출 때까지 상대방의 말을 들어준다.

말할 시간이 부족하면 화가 멈추지 않습니다. 예를 들어 볼까요. 당신은 한 부서의 팀원입니다. 상사가 화를 냅니다. 이때 당신이 잘못했다면 변명을 할 것이고, 잘못하지 않았다면 반박을 할 겁니다. 결론부터 말하면 변명과 반박은 상대방과의 거리를 줄이는 대화의 해법으로는 적당하지 않습니다.

미국의 시인 롱펠로는 이런 말을 했습니다. "비가 올 때 우리가 할 수 있는 최선의 방법은 그냥 비가 오게 내버려 두는 것이다."
그의 말처럼 상대방이 화가 났을 때 제일 좋은 말하기의 기술은 침묵하고, 그 상태를 있는 그대로 일단 놔두는 것 아닐까 합니다.

'제풀에 꺾인다'라는 말을 들어보셨을 겁니다. 정말 그렇더라고요. 화는 제풀에 꺾이는 경우가 99퍼센트입니다. 그런가 보다 생각하는 것, 이게 바로 사랑하는 상대방과 멀어지지 않는 대화의 기술입니다.

못 참겠다고요? 무식하고 험한 말을 듣는다고요? '당신 인생이 그 정도밖에 안 되는 인생인데 어쩌겠니?'라고 생각하며 듣는 시늉만 하세요. 그럼 됩니다. 상대방도 당신의 듣는 태도에 화를 내는 것을 멈추고 '내가 여기서 왜 이럴까?'라는 반성의 자세를 갖게 될지 모르는 일입니다. 그러니 문제가 있다고, 어떻게 할 거냐면서 말을 해보라고 다그치는 사람 앞에서 우리가 해야 할 건 단 하나입니다. 화낼 시간 선물하기!

상대에게 화낼 시간을 아낌없이 주는 산타클로스가 되십시오. 아무 이유 없이 당신을 괴롭히는 사람과 일 년 내내 지내야 하는 처지만 아니라면, 딱 하나! 그저 들어주는 것만 잘해주세요. 이유도 없이 상대가 화가 나 있는 상황에서 이런저런 이유를 들며 설득해봤자 당신이 듣는 것은 상대방의 더 큰 목소리와 더 큰 질책일 뿐이니까요.

좀 더 적극적인 방법은 없을까요. 있습니다. 언젠가 버스를 타고 집에 가는데 한 취객이 버스에 오르더라고요. 나이가 있는 분이었는데 타자마자 횡설수설하더니 여기저기에 욕을 했습니다. 뜬금없는 말들이었죠. 어느 정치가가 마음에 들지 않는다느니, 요즘 애들 버릇없다느니 하는 듣기 거북한 말씀을 하는데 그칠 줄을 몰랐습니다. 참다못한 승객 중 한분이 취객에게 "거, 좀 조용히 하쇼!"라고 질책을 했고, 취객은 눈을 부릅뜨며 "어느 놈이야!"라고 소리를 쳤습니다. 험악했습니다. 그때 기사님이 나섰습니다.

기사 : 선생님, 약주 한잔 하셨군요.

승객 : 그래, 했다. 왜!

기사 : 고단하시죠. 요즘, 저도 참 삶이 팍팍합니다.

승객 : 뭐요?

기사 : 어쩔 수 없죠. 그래도 먹고 살려면 열심히 살아야죠.

승객 : ….

기사 : 제가 댁에 가시는 곳까지 편안히 모셔드릴게요. 어디까지 가시나요?

승객 : 신동아 아파트요.

기사 : 네, 그나저나 날씨가 좋습니다. 창문 조금 열고 바람이라도 느껴보세요.

우리 기사님, 멋있죠? 어쨌거나 세상의 피해자인 취객은 물론 함께 버스에 타고 있던 사람들의 감정의 찌꺼기도 모두 사라지는 순간이 아니었나 싶습니다. 기사님의 말은 어땠나요. 변명이나 핑계, 혹은 적대적 대응을 하는 말이었나요. 아닙니다. 굳이 상대의 오해를 풀어주려고도 하지 않았고, 그저 잘 들어주고 위로해주고 공감해주는 대화였습니다. 대화의 달인은 소통을 가르친다는 유명 강사나 스피치 학원에 있는 게 아니라 버스를 운전하고 계셨습니다.

관계를 망치는 세 가지 말 습관

상대방에게 어떻게 말해야 할지를 고민하기에 앞서 나의 말이 그동안 어떠했는지를 관찰하는 게 중요합니다. 관찰이란 관심에서 시작된다고 여러 번 말씀 드렸습니다. 그러니 자신의 잘못된 말 습관이 무엇인지 관심을 가지고 바라볼 줄 알아야 합니다. 대화를 할 때 문제가 될 만한 언어 습관에는 어떤 게 있을까요. 저는 세 가지를 꼽아봤습니다.

첫째, 뻔한 말은 그만두면 좋습니다. 굳이 할 필요도 없고 해봤자 특별히 도움이 되지 않는 말이 그것이죠. 뭘 잘해주겠다는 건지 모르겠는 '잘해드리겠습니다', 지금까지는 속인 것 같은 느낌을 주는 '솔직하게 말해서', 입이 가벼운 사람 같이 느껴지는 '이건 정말 비밀인데' 같은 말들입니다.

둘째, 변명과 멀어지세요. 벤저민 프랭클린은 "변명을 잘하는 사람은 다른 어떤 것에서도 잘하는 게 드물다"라고 말한 적이 있습니다. 매번 약속이 늦는 사람의 "택시가 안 잡혀서 늦었습니다", 업무를 제대로 하지 못한 사람의 "시스템이 에러가 나서 이메일을 보내지 못했습니다"와 같은 변명은 상대방에게 '그래서 도대체 어쩌란 말인가' 하는 생각을 하게 만듭니다. 그냥 "죄송합니다!"라고 말하면 되는데 이런저런 말을 불필요하게 덧붙일 이유는 없습니다.

셋째, 따지는 말투는 하지 말아야 합니다. 사람들 앞에서 망신을 준다고 생각하게 만드는 "뭔가 잘못 알고 있는 것 같습니다", '절대 아니라고? 아니기만 해봐라'라는 생각을 들게 만드는 "아니죠. 그건 절대 아니죠"와 같은 말투는 지양해야 합니다.

이런 세 가지 유형의 말투는 상대방에 다가서고 싶어하는 우리의 의지와 무관하게 관계를 망치게 됩니다. 우리의 말 습관 속에 이러한 표현이 녹아 있는 건 아닌지 확인해보면 좋겠습니다.

물론 '왜 늘 나만 말하기를 고민하고 노력해야 하는 걸까?' 라고 고민하는 분도 있을 겁니다. 자기 본연의 모습을 잃지 않고 당당하게 말하고 싶은데 말이죠. 이에 대해서는 저도 안타까운 마음이 큽니다. '사람 말투는 절대 못 고친다'라고 말하는 사람도 많지 않나요. 다행히 우리가 강자이고, 갑이라면 그래도 괜찮습니다.

약자이고 을이 되어 강자나 갑에게 서러움을 당할 때도 어떻게든 다가서려고 말하기를 조심하는 모습은 솔직히 조금 슬프기도 합니다. 그냥 이렇게 생각해보면 어떨까요? '나 자신을 방어하기 위한 최소한의 노력'이라고 말이죠.

어쨌거나 우리는 이렇게 말 하나도 최선을 다해서 하는데 좋은 의도로 하는 우리의 말을 상대방이 잘 받아들이지 못하는 경우가 있으니 문제입니다.

다음의 대화를 확인해보시죠. 직장인인 당신이 거친 말투의 상사와 대화를 하는 장면입니다.

상사 : 이 서비스는 어떤 프로그램으로 진행되나요?

당신 : 예, A 프로그램으로 알고 있습니다.

상사 : 맞아요? 확실해?

당신 : 기억이 확실치 않습니다. 잠시 제가 확인해봐도….

상사 : 일을 어떻게 그따위로 하는 겁니까!

당신 : 알아보고 말씀드려도 되겠습니까?

상사 : 알아보긴 뭘 알아본다는 거예요!

당신 : ….

"그것도 몰라요?"라는 상사의 질책에 당신은 "네. 잘 몰라서 죄송합니다"라고 말했습니다. 그것으로 당신의 할 일은 다 한 것입니다. 이를 두고 비난을 멈추지 않는 상사라면, 글쎄요, 이제 부서를 옮길 때가 되지 않았나 합니다. 당신은 상사와 최선의 대화를 했으니까요.

말하기에 관심이 많은 우리입니다. 그런데 그 노력이 빛을 보지 못하고 오히려 '나만 노력하는 것 아닌가?'라는 자괴감에 빠질 때가 많습니다. 밑 빠진 독에 물을 붓는 느낌이라고 해야 할까요, 사실 대화는 쌍방향이어야 합니다. 박수도 손이 마주쳐야 소리가 나는데 일방적으로 우리만 애쓰는 것 같아 너무 힘들기도 하죠. 그래도 지지치 말고 우리는 말을 예쁘게 해야 합니다.

세상이 조금 더 좋아졌으면 좋겠습니다. 예쁜 말에 관심을 두고, 상대방에게 다가서려는 우리의 호의가 아름답게 받아들여지고, 그만큼 좋은 결과로 이어지는 미래가 되기를 기대합니다.

진상 퇴치의 기술

세상에는 왜 이렇게 진상이 많은 걸까요. 아, 물론 저도 그 진상 중 하나였을 때가 분명히 있었음을 먼저 고백합니다. 저는 정당한 권리를 주장했다고 생각하지만 어쨌거나 모든 건 피해를 받은 사람의 입장으로 생각해야 하니까요. 어쨌거나 진상, 우리 주변에는 없었으면 하는 생각이 듭니다. 무섭지는 않지만 더러워서라도 피하고 싶은 건 사실이니까요.

어제도 오늘도 그리고 내일도 우리는 도대체 이유도 없이 생떼를 부리는 사람을 만날 위험에 늘 처해 있습니다. 특히 불특정 다수를 상대해야 하는 곳에서 일하고 있다면 그 빈도와 강도는 상당하리라 생각합니다.

당신은 한 카페의 점원입니다. 아침 11시, 오픈하고 가벼운 마음으로 손님을 맞이합니다. 첫 고객이니만큼 깔끔하게 커피를 뽑아서 드립니다. 그런데 잠시 후… .

고객 : 커피 맛이 엉망이군요.

당신 : 네?

고객 : 왜 커피에서 이상한 냄새가 나죠?

당신 : 이상한 향이요?

고객 : 향은 무슨 향이에요. 냄새지.

당신 : 죄송합니다. 다시 드릴게요.

고객 : 됐고요. 주인은 어디 있죠?

당신 : ….

향을 맡아보니 향긋하기 이를 데 없는 커피를 만들어 제공했는데, 고객이 진상을 부린다면 생각만 해도 피곤해집니다. 애초에 커피를 마시려고 온 건지, 싸우려고 온 건지 도대체 분간이 안 되는 이런 사람, 카페가 아니어도 종종 만나고 부딪히게 됩니다. 아무리 합리적인 이유를 말해줘도, 맞서서 싸워봐도 책임이 없다고 해도 그들은 지치지 않습니다. 진격의 진상이라고 해야 하나요. 이런 사람을 만나면 '내가 왜 이런 사람들에게 소중한 내 에너지를 낭비해야 하는 걸까?'라는 자괴감이 듭니다. 그들은 정말 왜 이러는 걸까요. 답은 예상 외로 간단합니다. "그들은 그들이기 때문에 그러는 것이다."

너무 간단한가요? 하지만 실제가 그러니 인정할 수밖에요. 그들은 우리와 다른 사람이기 때문에 그럴 뿐입니다. 한 가지 기억할 사실이 있습니다. 진상을 부리는 이들이 왜 그러는 것인지에 대해서만 초점을 두면 관계를 맺기가 어려워집니다. 그 과정에서 결국 마음에 상처를 받는 건 우리가 될 테니까요. 그러니 이를 극복, 아니 잘 넘길 수 있어야 합니다. 어떻게 할 수 있을까요. 이렇게 대화로 풀어나가면 어떨까요? 진상을 퇴치하는 대화는 3단계로 이뤄집니다. 하나씩 살펴보겠습니다.

첫 번째 단계는 '나 자신의 무대응'입니다. 세상에서 가장 강력한 대응은 '무대응'입니다. 다만 문제가 있습니다. 일상에서 우연히 만난 사람과 분쟁이 생겼다면, 그런데 그 사람이 소위 진상이라면 피하면 됩니다. 하지만 늘 혹은 가끔이라도 마주하게 되는 사람이 진상의 실체라면 무대응만으로는 이 난관을 극복하기 힘들 겁니다. 이때는 다음 단계로 넘어가야 합니다.

두 번째 단계는 '상대방의 불만에 대한 반응'입니다. 상대의 불만에 반박하려 하지 마세요. 대응하기보다는 반응하려고만 하세요. 아무리 합리적 이유가 있다고 하더라도 괜한 대응은 상대방을 가르치는 말투가 되기 마련입니다. 상대방의 불만에 대해 이유를 대려고 애쓰지 않는 것, 현명한 대화의 기술입니다.

앞의 상황에서 커피 맛이 이상하다는 고객의 말에 대한 반응으로, 점원인 당신은 두 가지 방향으로 말을 할 수 있습니다.

"이 커피는 매뉴얼 그대로 만들었습니다. 맛이 이상한가요?"

"그런가요. 추출 시간에 다소 문제가 있었을까요?"

두 대화를 한번 비교해볼까요? 진상 고객에게 어떤 식으로 말해야 할까요? 당연히 두 번째 대화입니다.

여기서 좀 더 나아가도 좋습니다. 상대방이 "이거 개판이야!"라고 말할 때 당신은 "정말 개 같군요!"라고 말해버리는 겁니다. 상대방이 말한 것보다 더 강하게 상대의 불만에 동조하는 것이죠.

상대가 A라고 말하면 당신은 AA라고 말하세요. 그것이 당신에게 불리하든 유리하든 관계없습니다. 일종의 맞장구, 즉 상대방의 생각에 대해 인정하는 것이죠. 이렇게 되면 상대방은 김이 빠집니다. 상대방의 생각에 대해 '그런가 보네?'라고 인정해주는 것만으로도 말입니다.

변명하려 한다면 당신에게 돌아오는 건 또 다른 트집일 뿐입니다. 그러니 변명을 중단하고, 아니 참는 능력을 통해 위기를 넘기고 상대방이 흥분을 가라앉히는 바로 그 순간에 당신이 하고 싶은 말을 하면 됩니다.

"네? 아, 원두를 어제 갈았는데 기계적인 문제가 있었나 봅니다. 덕분에 다시 확인할 수 있었습니다. 죄송하고 감사합니다. 제가 더 맛있게 다시 만들어보겠습니다. 기다려주시겠습니까."

여기에 다음의 말 한마디를 더 한다면 어떨까요.

"커피에 대해서 정말 잘 아는 분이신 듯합니다. 앞으로도 자주 오셔서 많이 조언해주세요."

상대방의 불만에 대한 공감에 인정까지 곁들인다면 이미 상대방은 당신 대화의 주도권에 놓이게 된 것이나 다름없습니다. 이렇게 말하면 똑같은 커피를 내놔도 상대방은 이렇게 말하지 않을까요. "흠, 커피 맛이 제대로인걸요?"

진상 퇴치의 마지막 세 번째 단계는 '감사의 반복'입니다. 진상일수록 더 감사하세요. 그들이 진상으로 살아가는 이유, 외롭기 때문입니다. 그런 진상에게 감사를 반복한다면? 그것도 상대방이 무안할 때까지 한다면? 그렇습니다. 당신이 승리자입니다.

"애초에 맛있는 커피를 드렸어야 하는데 죄송합니다. 그래도 하나 더 배웠습니다. 고맙습니다."

"고객님 덕분에 저도 더 좋은 커피 내리는 법을 배웠습니다. 고맙습니다."

이제 당신은 말 하나로 진상을 퇴치할 수 있습니다.

나누면 나눌수록 커지는 한마디가 있다

좋게 말해주는 것 중의 최고는 역시 칭찬일 겁니다. 그런데 이 칭찬이라는 거, 만만치가 않습니다. 좋게 말해준다는 것도 상대방의 관점에서 좋은 것이어야 하는데 문득 나의 관점에서 좋은 걸 말하다가 문제가 생깁니다. 예를 들어볼까요. 오랜만에 친구를 만났습니다. 대학 졸업 후 십 년도 훌쩍 넘었습니다. 이야기를 나누다가 그에게 말합니다. "너 하나도 안 변했구나?"

그런데 그 친구는 제 말을 듣고 인상을 찡그립니다. 저는 그에게 '예전의 순수했던 마음을 그대로 갖고 있구나!'라는 뜻을 담은 칭찬이었는데, 그에게는 성장하지 못한 채 예전 그대로의 상태에 머문 사람이라는 말로 들렸기 때문입니다. 그 친구는 매년 변화하고 성장하기를 바라며 사는 사람이었습니다. 그러니 얼굴이 어두워질 수밖에요. 칭찬을 한다면 제대로, 상대방의 관점에서 좋은 점을 말해야 합니다.

칭찬은 그래서 어렵습니다. 하지만 저는 당신이 칭찬하는 것에 거침이 없기를 바랍니다. 괜히 인상이나 쓰고, 상대방의 약점을 들추는 거보다야 훨씬 좋은 일이니까요. '명예는 나눈다고 줄어드는 게 아니다'라는 말이 있는데 저는 이를 '칭찬은 나눈다고 줄어드는 게 아니다'라는 말로 바꾸고 싶습니다. 상대방의 좋은 점을 발견했다면 그냥 마음 내키는 대로 칭찬하십시오.

'칭찬의 역습'이라는 말 들어본 적 있으신가요? 언젠가 TV에서 한 다큐멘터리 프로그램을 봤는데 잘못된 칭찬이 미치는 영향을 다루고 있었습니다. 아이와 청소년을 관찰해 부모나 선생님의 칭찬이 잘못된 영향을 미치는 것을 분석한 내용이었죠. 혹시 여러분의 자녀들에겐 칭찬을 어떻게 하시나요? 대부분 이 정도의 칭찬을 할 겁니다. "95점! 수학 천재 아니니? 네가 최고야. 엄마의 기대를 저버리지 않는구나. 다음엔 100점 맞자!"

다큐멘터리 프로그램에서는 이런 칭찬이 문제라고 말했습니다. 수학 천재와 같은 말처럼 결과에 대한 과도한 칭찬은 당사자를 부담스럽게 하고, 다음에 더 잘하지 못하면 어떻게 하지 걱정하게 만들고, 혹시 모를 교만을 주는 셈이 된다는 것이었습니다. 그러면서 제대로 된 칭찬은 이렇게 하라고 해결책을 제시합니다.

"열심히 했는데 아쉽다. 그 이상으로 점수가 더 나왔어야 했는데. 어떤 부분을 학습하면 더 좋은 성적을 낼 수 있을까."

저는 약간 이상하게 들렸습니다. 과연 프로그램에서 제시한 이 칭찬이 적당하다고 여겨지시나요? 그 이유를 한번 같이 생각해볼까요? 결과에 대해 잘했다는 말보다는 과정에 대한 성취도를 애정 어린 눈으로 보자는 취지의 말에는 전적으로 공감했습니다. 하지만 과연 이게 칭찬일까요? 칭찬을 가장한, 아니 전혀 칭찬으로 느껴지지 않는 질책 아닌가요.

결과에 대해 무작정 "와! 네가 최고야!"라고 말하는 건 사실 과도해보일 수도 있습니다. 하지만 되돌아 생각해보시죠. 이렇게 과도할 정도로 칭찬하는 부모, 선생님, 혹은 직장에서의 상사를 본 적이 있으신가요? 아니, 칭찬 그 자체를 애초에 하지 않는데, 무슨 칭찬의 내용에 대해 고민을 한단 말인가요?

게다가 칭찬이 누군가를 부담스럽게 한다거나, 교만에 빠질 우려가 있다고 자제해야 한다는 발상은 또 무엇입니까. 납득이 어렵습니다. 이 말은 즉, '나는 누군가를 칭찬하기 싫어!' 혹은 '내가 왜 다른 사람을 칭찬해야 해?'라는 다가서는 말이 아니라 벽을 두는 말 아닌가요? 칭찬을 너무 많이 받게 되면 의미 없는 대화와 소통만 늘어간다고요? 글쎄요. 과연 의미 없는 대화와 소통이 늘어날 만큼 칭찬하는 사람이 세상에 있기는 할까요?

저는 요즘 시대를 '칭찬 종말의 시대'라고 말하고 싶습니다. 이러한 때 칭찬의 과잉이란 단언컨대 없다고 생각합니다. '지나친 칭찬은 사람들의 질투를 유발한다, 사람들의 억측과 뒷말을 만든다, 편애로 비친다' 등의 근거로 칭찬이 위험하다고들 하는데, 글쎄요. 과연 그러한가요? 이런 부정적 고민이 칭찬의 긍정적 효과를 압도할 만한가요? 여러분도 칭찬을 많이 하는 건 위험하다고 생각하나요?

물론 늘 칭찬만 할 수는 없을 겁니다. 칭찬의 역효과를 고민하는 분들의 마음도 이해가 안 되는 건 아닙니다. 칭찬이 비판보다 분명 효과적이긴 하지만 남발되면 부작용도 만만치 않다는 것도 인정합니다. 하지만 생각해보시죠. 비판은 세상에 가득하지 않나요? 칭찬을 주위에서 찾아보기 쉬운가요? 칭찬이 사라진 세상에 사는데 왜 칭찬의 부작용부터 걱정해야 하나요?

비판은 하루에도 수십 번 듣습니다. 미취학 아동은 물론 초등학생부터 대학생, 직장인까지 "그래선 안 된다", "하지 마라", "그게 뭐냐" 등의 말을 늘 듣게 됩니다. 하지만 그들에게 물어보세요. 최근 일주일 새 "정말 잘했어"라는 극히 단순한 칭찬조차 제대로 들어본 사람이 있는지 말입니다. 아마 상당히 드물 겁니다. 칭찬 한번 듣기 힘든 상대에게 다가서는 방법은 그 듣지 못한 칭찬을 해주는 것 아닐까요. 그러니 우리 이제 아낌없이 칭찬합시다!

무례한 사람에게
현명하게 대처하는 한마디

국내 한 기업 고객센터 지침에 대해 들은 적이 있습니다. 고객을 왕으로 모셔라? 아닙니다. 그 회사는 고객 이전에 고객센터 상담원의 마음을 먼저 생각한다고 합니다. 예전 같으면 '어떻게 고객을 모시는 회사가 그럴 수 있어!'라고 비난할 수도 있겠으나 지금은 다릅니다. 괜찮은 회사라는 생각이 듭니다. 어떻게 하느냐고요. 예를 들어 이런 상황이라고 해보죠.

고객 : 왜 아직 개통이 안 되는 거야! 10분이나 기다렸잖아.

상담원 : 불편하셨죠. 번호이동 과정에서 시간이 다소 소요됩니다. 양해 부탁드립니다.

고객 : 뭐라고? 장난하나, 이것들이. 너는 됐고… 당장 책임자 바꿔.

상담원 : 죄송합니다. 잠시만 기다려주시지 않겠습니까.

고객 : 그걸 말이라고 해? 이게 미쳤나. 야, 너 이름 뭐야? 당장 우리 집에 와서 사과해.

상담원 : 아, 고객님. 저….

고객 : 내가 중요한 전화 못 받아서 지금 피해가 생겼어. 배상해.

상담원 : ….

고객 : 알았어, 몰랐어? 말 진짜 안 해? 이 ×××, 죽을래? 엉?

읽으면서도 화가 나는 상황입니다. 일단 세상에 이런 사람들이 있다는 걸 인정해야겠습니다. 세상은 넓으니 이런 사람들도 있을 수 있습니다. 하지만 일방적으로 당할 수만은 없습니다. 이런 무례한 사람, 아니 무례한 상놈은 도대체 어떻게 대응해야 할까요. 저는 두 가지를 대응을 생각해봤습니다.

첫째는 '무시'입니다. 진상 고객의 전화를 받은 상담원이라면 과감하게 전화를 끊어버리는 겁니다.

"내가 중요한 전화 못 받아서 지금 피해가 생겼어. 백만 원 배상해. 알았어, 몰랐어? 말 진짜 안 해? 이 ×××, 죽을래?"라는 말을 상담원이 듣는다면 "전화 끊습니다. 감사합니다."라고 말하고 그냥 끊어버리는 겁니다. 깔끔하죠? 일방적인 친절을 최우선으로 여겼던 과거의 고객센터와는 좀 다른 상황이라 의아할 겁니다.

하지만 실제로 한 국내 카드회사의 경우 소위 진상 고객(솔직히 '진상 고객'을 '고객'이라고 할 수 있을까요? 그냥 '진상'이죠. 고객이라는 아름다운 단어를 진상이라는 지저분한 용어에 붙이는 것 자체가 고객에 대한 예의가 아니라고 생각합니다)과 응대할 경우, 상대의 막말에 바로 전화를 끊어 버리는 파격적 조치를 상담원에게 지침으로 공유했다고 합니다. 그렇게 하자 그 회사의 고객센터 직원들의 이직률이 낮아진 건 물론, 급하게 고객센터에 전화하려는 선량한 고객의 대기시간은 짧아졌다고 합니다.

고객이 무조건 왕으로 인식되고 있는 국내 서비스 업계에서 이 카드회사의 정책은 파격적으로 받아들여졌답니다. 무조건 고객에게 친절해야 하는 서비스 업종에서 자칫 고객들에게 불친절하다는 인상을 남겨 브랜드의 가치에 타격을 받을 수 있었기 때문이었죠. 실제 적용에 따른 문제점은 분명히 있었을 겁니다. 하지만 저는 제가 그 진상이었다고 할지라도 이 정책에 동의합니다.

무례한 진상을 다루는 두 번째 방법은 '기록'입니다. 거친 말을 들은 상담원이 이렇게 응대하는 것입니다.

"상담원 보호를 위해 고객님의 대화 내용은 다 녹음되고 있습니다. 참고해주세요." 이러한 말을 듣게 되면 과연 그 진상은 어떤 행동을 하게 될까요.

사람은 누구나 자신의 말과 행동을 기록한다는 걸 아는 순간부터 자기의 말과 행동을 조심하게 됩니다.

자신의 거친 말을 누군가 받아 적어 근거로 남긴다고 할 때 함부로 말할 사람은 그리 많지 않을 겁니다. 기록하면 상대방은 조용해집니다.

자, 이제 무례한 진상 고객을 젠틀맨 혹은 착한 고객으로 변하게 할 수 있는 방법을 알게 되셨는지요. 어떠세요? 간단하지요? '무시' 그리고 '기록' 가끔은 굳이 다가설 필요가 없는 사람과는 멀어지는 말하기의 방법을 사용하는 것도 괜찮습니다.

어떤 질문도 여유롭게 받아치는 답변의 기술

이번엔 질문에 대해서 이야기해보려 합니다. 우리는 평소에 제대로 된 질문을 잘 던지고 있는 걸까요. 혹시 '닫힌 질문'만 하고 있는 건 아닌가요. 닫힌 질문은 예, 아니오로 대답할 수 있는 질문입니다. '식사하셨나요? 바쁘세요? 주말에는 쉬세요?' 라는 질문이 여기에 해당합니다. 닫힌 질문은 상대방에 대한 기본적 정보를 확인할 때야 사용할 수 있겠으나 상대방의 생각을 다양하게 확인하기에는 부적합합니다.

이와 반대의 질문은 '열린 질문'입니다. 열린 질문의 사례로는 어떤 것이 있을까요. 다음과 같은 질문들이 그것입니다.

"~라고 말씀했는데 그 부분에 대해 어떤 감정이 생겼었는지 이야기해주시겠습니까?"

"제가 지금까지 들은 내용을 제대로 이해했다면 ~라는 말씀이실까요?"

"그와 관련된 일화가 있다면 말씀해주시겠습니까?"

"~인 것은 본인에게 어떤 의미였을까요?"

상대방에 가까워지기 위해서라도 이제 이러한 열린 질문에 익숙해졌으면 합니다. 나와 다른 상대방의 마음을 알아차리는 데 힌트가 될 수 있으니까요.

질문을 하는 것에 대해 알아봤다면 이제 질문에 대답하는 법입니다. '잘 들어주고 잘 대답해주는 것이어야 말로 대화에 있어 최고의 완벽이다'라는 말이 있듯이 질문은 대답에서 그 성패가 결정됩니다.

하지만 질문에 대답하는 게 어디 쉽나요. 질문은 우리의 대답을 예상하고 오지 않습니다. 특히 갑작스러운 질문은 우리를 당황하게 만듭니다.

이런 적이 많았을 겁니다. '도대체 무슨 의도로 물어보는 거지?'라고 생각할 시간도 없는 그런 경우죠. 그동안 이럴 때 어떻게 대답하셨나요. 상사가 당신에게 프로젝트 진행 상황을 갑자기 물어봤다고 가정해봅시다.

상사 : 프로젝트는 잘 진행되고 있습니까.

당신 : 글쎄요. 현재까지는 괜찮은 것 같습니다. 그런데 자꾸 경쟁사에서 더 좋은 조건으로 달려드는 바람에…. 아, 우리 회사의 가격 정책도 문제입니다. 언제까지 이 가격으로 제안을 할 건지. 고객사의 임원도 최근에 바뀌었고….

상사 : 도대체 무슨 말인가요?

당신 : ….

대답에서 뭔가 당황한 모습이 보입니다. 상사가 프로젝트의 어느 한 부분에 대해 구체적으로 물어봤다면 답변은 아마 조금은 쉬웠을 겁니다. 하지만 모든 상사가 질문의 달인, 소통의 달인이 아닙니다. 당연히 이와 같이 두루뭉술한 질문을 받는 게 일반적입니다. 상사가 개떡 같은 질문을 던졌지만, 그럼에도 불구하고 우리는 찰떡같이 답해야 합니다.

질문을 던지는 상대방을 탓하고만 있다면 아무런 해결도 할 수 없습니다. 그래서 저는 질문에 대한 답변의 기술로 '다섯 단계 대답법'을 제안합니다. 다음의 답변을 예상치 못한 질문에 대해 그럴듯한 대답의 기술로 익혀두면 좋겠습니다.

한가한 오후, 갑자기 다가와 상사가 "A 프로젝트는 잘 진행되고 있습니까?"라고 질문했다면 어떻게 대답해야 할까요?

첫 번째 단계는 '요약'입니다. 상대방의 질문을 답변으로 한 번 더 받아치는 거죠. "프로젝트 수주의 가능성을 말씀하시는 거죠?"

두 번째 단계는 '구체화'입니다. 현재의 상황을 자세하게 이야기하는 것입니다. "총 세 개 회사에서 제안서를 접수하였으며 실제 경쟁 대상이 될 만한 회사는 하나입니다. 아마 우리 회사와 그 회사 간의 경쟁이 될 것이라 생각합니다."

세 번째 단계는 '사례'를 제시하는 것입니다. 구체적인 상황에 대해 사례를 이야기하는 거죠. "어제 고객 담당자와 만나서 이야기를 했습니다. 자세한 것은 말해주려고 하지 않으나 우리 회사의 기술적 우위가 타 경쟁사들보다 압도할 만한 수준이라는 말을 했습니다. 가격은 유의미한 차이가 없다고 합니다."

네 번째 단계는 '미래'입니다. 질문하는 상대가 알고 싶은 앞일에 대해 요약해서 말하는 겁니다. "따라서 현재 우리 회사의 수주 확률이 경쟁사보다 높은 편입니다. 물론 마지막까지 최선을 다해야 한다고 생각합니다."

마지막 단계는 '도움'입니다. "혹시라도 모를 돌발의 상황에 대비하겠습니다. 작은 문제라도 생긴다면 이사님에게 보고하고 도움을 요청하겠습니다."

다시 상사의 질문으로 돌아가 보겠습니다. 상사는 당신에게 일종의 '경고', 즉 프로젝트 진행의 성공 여부에 대해 불안하다는 메시지를 질문으로 보냈습니다. 질문의 형식을 빌려서 메시지를 전한 것이죠. 이때 제안한 다섯 단계를 차분히 밟아 답변한다면 상사에게 어떤 인상을 남길까요? 해당 프로젝트 수주의 성공 여부를 떠나 비즈니스 커뮤니케이션을 잘하는 직원으로 인정받지 않을까요. 이처럼 상대의 불안감이 섞인 질문에 대해 체계적으로 답변하는 당신의 대답은 상대방과의 거리를 좁혀줄 것입니다.

예쁜 말에는 응원과 격려가 담겨 있다

미국의 기업인, 아마존의 창업자이자 초대 CEO, 2021년 기준 전 세계 부자 순위 2위. 바로 제프 베조스Jeff Bezos입니다. 1994년 아마존닷컴을 설립한 후 아마존을 최고의 혁신기업으로 만든 사람입니다. 2021년 2월 그는 아마존의 CEO직에서 물러나고 이사회 의장으로 직위가 변경되었습니다. CEO를 사퇴하면서 그는 사내 구성원에게 이메일을 보내는 것으로 업무를 끝냈습니다. 제프 베조스가 이메일을 통해 구성원들에게 마지막으로 요청한 것은 독창성, 창의성의 지속적인 발휘였습니다. 다음은 그가 보낸 이메일의 일부입니다.

"오늘날 우리는 130만 명의 재능 있고 헌신적인 임직원을 고용하고 있고, 수억 명의 고객과 회원사를 위해 일하고 있으며, 세계에서 가장 성공한 기업 중 하나로 널리 인정을 받고 있습니다. 이게 어떻게 가능했던 것일까요? 독창성 덕이죠. 독창성이야말로 우리 성공의 근간입니다. 남들이 보면 미친 짓을 우린 함께 했고, 그리고 그걸 정상으로 만들어냈죠. (중략) 아마존처럼 훌륭한 창의력 실적을 보유한 기업을 저는 모릅니다. 이 순간에도 우리가 가장 독창적이라고 생각해요. 우리의 이런 창의력을 나처럼 자랑스러워하길 바랍니다. 당연히 그래야 마땅하거든요."

도대체 130만 명의 구성원이 어떻게 각자의 창의력을 바탕으로 세계를 선도하는 독창적 제품과 서비스를 만들어내는 것일까요. 그가 쓴 메일의 마지막 부분도 함께 살펴볼까요?

"계속 창의력을 발휘하십시오. 새롭게 뭔가를 발명할 때 그 아이디어가 미친 일처럼 보여도 절망하지 마세요. 길을 잃어야 한다는 점을 기억하세요. 당신의 호기심이 당신의 나침반이 되도록 하세요. 우린 언제나 첫날입니다."

독창적이고 혁신적인 아마존의 문화, 그 힌트를 메일의 마지막에서 발견할 수 있었습니다. '길을 잃어야 한다', '호기심이 나침반이다', '우리는 언제나 첫날이다' 직원들의 동기부여를 일으키는 정말 멋진 말 아닌가요?

그저 말로만 그랬을까요? 저는 제프 베조스가 아마존을 성장시키면서 진행했을 커뮤니케이션이 궁금해졌습니다. 자세히 찾아보니 그는 실패를 칭찬하는 CEO로 유명했습니다. 앞에서 함께 살펴본 메일의 마지막 부분처럼 말이죠. 실패를 칭찬하다니, 도대체 무슨 말일까요. 아마존이 구성원의 혁신적 아이디어에 대한 도전을 격려하기 위해 만든 '저스트 두 잇Just Do It'이라는 포상제도가 그 사례가 되겠습니다.

베조스는 창립 초창기부터 조직 내의 계층hierarchy을 혁신의 가장 큰 장애 요소라고 생각했다고 합니다. 여기에서 착안해 구성원이 자신의 아이디어가 회사에 도움이 될 것이라는 판단이 들 경우, 상사의 허락을 받지 않고 실행하는 것을 독려했습니다. 실제로 이렇게 실행한 구성원에게는 묻지도 따지지도 않고 '저스트 두 잇'이라는 슬로건으로 유명한 나이키 신발을 선물했답니다.

'이 정도라면 대한민국 웬만한 기업에서도 모두 시행하는 포상제도가 아닌가?' 라고 생각할지도 모르겠습니다. 글쎄요. 과연 우리의 기업들이 구성원의 실패에 대해서 칭찬을 하고 또 포상할 만큼 관대할까요. 선물은 성공한 도전에 대해서만 주어지는 것 아닌가요. 조직이 구성원에게 다가서는 방법은 실패한 도전에 대해서도 칭찬하고 또 격려하는 것에서 시작되는 걸 우리는 잊고 있었습니다.

당신이 누군가를 부하직원으로 둔 리더라면 묻고 싶습니다. "조직 구성원의 실패에 대해 상을 준 적이 있습니까?" 어떤 대답이 나올지 궁금합니다. '그런 적이 있었다'라고 말하는 당신이기를 조심스럽게 기대해봅니다. 베조스의 아마존처럼 세계적인 기업을 만드는 씨앗이 실패한 도전에 대해 격려하는 당신의 회사에서 이미 시작되고 있을지도 모르니까요.

"어떤 이가 열등감 때문에 우물쭈물하고 있는 동안, 다른 이는 실수를 저지르며 점점 우등한 사람이 되어간다"라는 말이 있습니다. 실패는 성공을 위해 중요한 과정임을 표현하는 말일 겁니다. 하지만 대부분 기업 그리고 리더는 실패라는 결과에만 집착합니다. 실패는 처벌의 대상이라고만 생각합니다. 그러니 어느 순간 조직에서는 그 누구도 도전적인 업무에 나서길 망설입니다. 조직과 구성원의 거리는 멀어지기만 하고요.

찾아보니 아마존과 같은 모습, 즉 도전해서 실패한 것에 대해 벌 대신에 상을 주는 조직이 다른 나라에도 있긴 있었습니다. 물론 우리나라를 포함해서 말입니다. 일본 기업 혼다, 독일 기업 BMW는 물론, 한국 기업인 제일기획에도 이러한 제도가 있었습니다. 혼다는 실패왕을 선발했답니다. BMW에는 이달의 창의적 실수상이 있었고요.

국내 기업 가운데 제일기획은 광고 수주에 실패했을 때 CEO

가 팀원에게 이메일 한 통을 보낸다고 합니다. '수주하기 어려운 프로젝트임에도 불구하고 수주를 위해 최선을 다한 프로젝트 팀원의 노고에 대해 치하하며 실패에 연연하지 않고 앞으로도 새로운 시도를 계속할 것을 당부한다'라는 내용을 담아서요.

우리는 늘 매일 새로운 도전을 마주합니다. 할 수 없을 것 같은 일도 다가옵니다. 그때 누군가가 "실패해도 돼. 도전해봐"라고 격려한다면 얼마나 마음이 따뜻해질까요.

넘어져본 적이 없는 사람은 단지 위험을 감수해본 적이 없는 사람일 뿐입니다. 하지만 넘어졌을 때 외면하고 질책하며 세상에 냉정한 말들만이 가득하면 우리는 다시 일어설 용기를 내기 힘들 겁니다.

넷플릭스에서 방영 중인 일본 예능 프로그램 중에 「나의 첫 심부름」이란 프로그램이 있습니다. 한 편에 10분 내외로 길지 않은 시간 동안 인생의 첫 심부름에 도전하는 아이들을 관찰하는 단순한 형식의 프로그램입니다. 아이들은 자신의 심부름이 어렵고, 두렵고, 힘들어서 포기하려고 하지만 주변 사람들의 응원과 도움으로 마침내 자신의 심부름을 마치는 내용을 담고 있습니다.

따뜻한 마음으로 아이들을 바라보면서 아이의 실수를 지켜보고 응원해주는 주변인의 모습이 감동을 줍니다. 이 세상이 냉혹한 경쟁의 사회 그 자체만이 아니라 격려의 공동체, 배려의 사회라는 걸 느끼게 해주는 프로그램입니다. 심부름하는 아이의 어려움에 공감하고 기꺼이 도움을 주는 이 프로그램의 어른들 모습은 '세상은 아름다워!' 그 자체입니다.

우리도 실패에 두려워하는 누군가의 마음에 공감하고, 그 마음을 응원하고 또 위로하는 마음을 가진다면 세상과 우리의 거리는 한결 가까워지지 않을까요. 그렇게 누군가를 응원해주고 위로해주는 사람, 혹시 우리가 될 수는 없는 걸까요.

예쁜 말에는 응원과 격려가 담겨 있습니다. 노력했지만 어쩔 수 없이 성취하지 못한 세상의 수많은 실패에 대해 따뜻한 시선으로 바라봐줄 수 있는 우리라면, 상대방에게 한결 가까워질 수 있습니다.

맺음말

'못생긴 말' 대신 '예쁜 말'에 익숙한 당신이 되었기를 기대합니다

그동안 길고 긴 시간…. 솔직히 말이 그리웠습니다. 관계에서 가장 원하지 않는 상황은 듣기 싫은 말을 듣지 않을 때가 아닌, 아무런 말조차 듣지 못하는 경우라고 하더군요. 물론 상대방의 비난이나 강요, 빈정댐과 같은 부정적인 말이 듣기 좋았다는 건 절대 아닙니다. 하지만 누군가를 만나 '아파. 힘들고 피곤해'라고 말했을 때 들을 수 있는, 아니 듣고 싶었던 '어디 아파? 힘들지?' 이 한마디가 그리웠음은 부정할 수 없는 사실입니다.

하지만 이제 다시 누군가에게 다가서려고 생각해보니 이 또한 부담으로 다가옵니다. 다시 세상이 열리고 난 후에 무작정의 다가섬을 당연한 것으로 여기는 사람들을 보니 더욱 그러한 생각이 듭니다. 2년 이상의 긴 시간이었을 텐데 그동안 말하기의 예의라도 조금 정비했으면 했지만, 전혀 그렇지 않은 사람들도 꽤 많았습니다. 주변에서 들은 사례도 상당합니다. 예쁜 말 대신 못생긴 말, 아니 나쁜 말, 그리고 이상한 말이 바로 그것이죠.

이런 사례를 듣게 되었습니다. 사회적 거리두기가 완화되어 대면 만남이 시작되자마자 마치 '아무렇게나 말해도 되는 티켓'이라도 얻은 사람처럼 덤벼드는 사람이 있었다고 합니다. 어디선가 '긍정이 최고'라는 이야기를 듣고 나서는 회의실에 팀원을 소집해서는 어려운 프로젝트에 대해 "방법이 있을 거야! 변할 수 있을 거야!"라고 말하는 팀장이 있었답니다. 물론 방법을 찾고 변화해야 하는 주체는 팀장 자신이 아닌, 그 말을 들은 팀원이었습니다. 팀 내 상황이나 각 팀원의 사정을 고려하지 않은 이런 말, 별로입니다. 못생겼습니다.

그뿐인가요. 상대방의 실수가 있을 때는 자기 감정을 표현하는 걸 코칭 프로그램에서 배웠다면서 "네가 이렇게 보고서를 가져오니 내 마음이 좋지 않아"라는, 듣기에도 어색한 말을 하던 임원 한 분은 이를 듣고 표정 관리가 잘되지 않은 부하직원에게 "내가 코칭 프로그램에도 참여하면서 변하려는데, 왜 듣는 사람 표정이 그래?"라고 윽박질렀다는 고발도 들은 적이 있습니다. 기가 막힐 따름입니다. 못생긴 말의 대표적인 사례라고 할 수 있겠습니다.

다가서고, 마주하며 그렇게 결국 관계를 이어가는 말하기, 즉 예쁜 말을 하는 것이란 '말을 잘하는 것'이 목표가 아니라 '잘 말하는 것'이 지향점이어야 합니다. 상대방의 사정은 고려하지 않은 채 '왜 내 사람을 받아주지 않는 거야!'라고 윽박지르는, 못생긴 말을 무기로 약탈적 긍정성 혹은 약탈적 사랑을 원하는 사람을 반겨줄 사람은 없기 때문입니다.

그렇다고 겉으로만 예쁜 말을 하는 사람이 당신이기를 바라진 않습니다. 진심에서 우러나오는, 즉 예쁜 마음을 지닌 당신의 입에서 나오는 예쁜 말을 기대합니다. 말 하나만큼은 제대로 된 예쁜 말을 할 수 있는 우리가 되었으면 좋겠습니다. "우리가 돈이 없지 가오가 없냐?"라는 영화 대사가 기억하시나요? 저는 이렇게 말하고 싶습니다. "우리가 얼굴이 못생겼지 말이 못생겼냐?"

관계를 맺어야 할 시간입니다. '잘 말하는 사람'이 되면, '예쁜 말'을 여유 있게 할 줄 안다면, 다시 돌아온 일상에서도 여전히 나의 인생을 소중하게 지킬 수 있고, 타인과 지내는 것 역시 행복해질 수 있지 않을까 기대해봅니다.

말을 하기 전에 생각하고, 생각하기 전에 잘 관찰하며, 이를 통해서 결국 상대방에게 표현하는 우리의 예쁜 말 한마디가 관계를 그리고 세상을 더 아름답게 변화할 수 있을 겁니다.

상대방에 대해 담담한 포용성과 명랑한 수용성을 지닌 채 예쁜 말 한마디를 해낼 줄 아는 '말 잘하는' 사람이 아니라, '잘 말하는' 사람으로서 원하는 것을 편하게 얻어내는 예쁜 말을 할 줄 아는 우리가 되기를 기대합니다.

이 책이 멀어졌다 다시 다가서는 세상에서 당신의 말하기에 조금이라도 도움이 되었기를 바랍니다.

응원할게요. 고맙습니다.

예쁘게 말하는 네가 좋다

초판 1쇄 발행 2022년 8월 8일
초판 13쇄 발행 2024년 8월 1일

지은이 김범준
펴낸이 김선준

편집이사 서선행
책임편집 이희산 **편집4팀장** 송병규 **디자인** 엄재선
마케팅팀 권두리, 이진규, 신동빈
홍보팀 조아란, 장태수, 이은정, 권희, 유준상, 박미정, 이건희, 박지훈
경영관리팀 송현주, 권송이

펴낸곳 ㈜콘텐츠그룹 포레스트 **출판등록** 2021년 4월 16일 제2021-000079호
주소 서울시 영등포구 여의대로 108 파크원타워1 28층
전화 02) 332-5855 **팩스** 070) 4170-4865
홈페이지 www.forestbooks.co.kr
종이 (주)월드페이퍼 **출력·인쇄·후가공·제본** 한영문화사

ISBN 979-11-91347-94-4 (03190)